KB182836

MySQL실습을 통한

데이터베이스이론 및 실습

김태희 · 주낙근 · 김대식 共著

머리말

컴퓨터, 멀티미디어 및 정보통신 기술이 중심이 되는 21세기 디지털 사회는 복잡하고 다양한 사용자의 기호변화와 수많은 경쟁 요소들을 신속히 파악하고 예측하여 이에 대처해 나가야 하는 미래지향, 창조성 위주의 사회라고 할 수 있을 것이다. 다양화되고 복잡해지고 있는 사용자들의 요구사항을 만족시키기 위해 최근의 컴퓨터, 멀티미디어 및 정보통신 분야에서는 전 분야에 걸쳐 개방화, 통합화 및 자동화 기술이 급격한 발전을 거듭하고 있으며, 앞으로 이러한 추세는 더욱 가속화될 것으로 전망되고 있다. 이러한 상황은 정보시스템에 저장되어 효율적으로 활용할 수 있는 데이터들의 정리와 이 데이터가 원하는 사용자들에게 적시에 제공될 수 있는 강력한 데이터베이스시스템이 필요하다.

우리주변에는 다양한 데이터베이스 책들이 산재되어 있다. 꼭 필요한 자료만 정리되어 있는 책이 있었으면 하는 마음으로 이 책을 쓰기 시작했다. 많고 다양한 내용보다는 가장 필요한 데이터베이스 이론을 익히고 이를 바탕으로 MySQL 실습하는 단계를 설명한다. 마지막으로 학습한 이론과 실습을 활용하여 데이터베이스 제작 프로젝트를 실시한다.

책의 구성은 3부로 구성되어 있다. Ⅰ부는 전반적인 데이터베이스 이론에 대한 설명을 하고, Ⅱ부는 MySQL을 통한 실습을 따라해 보고, Ⅲ부는 자바언어로 데이터베이스 시스템을 만들어본다.

Ⅰ부의 1장에서는 데이터베이스시스템에 대한 정의를 설명한다. 데이터베이스가 가지고 있는 구조에 대해서 알아보고 데이터베이스시스템을 운영하는데 필요한 요소들에 대해서도 알아본다.

2장에서는 데이터베이스관리 시스템에 대해서 설명한다. 데이터베이스관리 시스템에 대한 기능을 알아보고 필요성과 활용하는 방법에 대해서도 알아본다. 데이터베이스를 효율적으로 관리하기 위해서 필요한 데이터의 독립성에 대해 알아본다.

3장에서는 데이터베이스시스템의 설계에 대해서 설명한다. 설계하는 단계별 과정에서 산출되는 결과물에 대해서 자세하게 알아본다. 설계에 사용되는 개체관계도의 표기법과 활용법을 알아보고 실제 예를 들어 개체관계도를 작성해보는 학습을 해본다.

4장에서는 관계 데이터구조에 대해서 알아본다. 릴레이션의 정의를 알아보고 구성하는 요소들에 대해서도 알아본다. 데이터베이스가 가지고 있는 특성 가운데 무결성에 대해서 자세하게 알아본다. 관계대수와 관계해석에 대한 정의와 다양한 예제를 통해 변환하는 과정을 자세하게 알아본다.

5장에서는 분산 데이터베이스시스템, 멀티미디어 데이터베이스시스템, 객체지향 데이터베이스시스템에 대한 정의와 기능을 알아보고 이들 시스템들 간의 장단점을 비교분석해본다.

Ⅱ부의 6장에서는 예제에 사용될 테이블에 대한 정보를 기술한다.

7장에서는 리눅스 환경에 MySQL를 설치하는 과정을 자세하게 설명한다.

8장에서는 리눅스 운영체제에서 테이블을 생성하는 과정을 설명하고, vi 편집기를 이용하여 테이블과 레코드를 생성하는 과정을 알아본다.

9장에서는 본격적으로 데이터베이스에서 데이터를 검색하기 위해 사용하는 질의어에 대해서 자세하게 설명한다. 검색, 삭제, 삽입 등 테이블에서 데이터를 가져오는 다양한 방법에 대해서 설명한다.

10장에서는 데이터의 패턴을 검색하는 과정을 설명한다. 다양한 함수에 대해서도 따라하기 형태로 실습해본다.

11장에서는 다중테이블의 데이터를 조인하거나 필요한 데이터만으로 구성된 또 다른 테이블을 만드는 실습을 해본다.

12장에서는 기존 테이블의 데이터를 갱신하는 실습을 해본다.

Ⅲ부에서는 Ⅰ부와 Ⅱ부를 통해서 학습한 이론과 실습을 최대한 활용하여 데이터베이스시스템을 제작하는 프로젝트를 진행한다. 이 프로젝트를 진행하는 과정에서 주변의 데이터베이스에 대한 관심이 높아짐으로써 데이터베이스관리시스템의 효율적인 기능에 대해 다시 한 번 생각해 볼 수 있는 기회가 될 것으로 확신한다.

2012년 2월

저자 씀

차 례

제1부 | 데이터 베이스 이론

1장. 데이터베이스시스템의 개요

1.1 데이터베이스의 정의

대학에서 이루어지는 업무를 생각해보자. 학생이 과목을 수강하는 것, 교수가 과목을 강의하는 것, 과목에 강의실을 사용하는 것 등 다양한 기능을 수행하기 위해 많은 정보들이 필요하게 된다. 이들 정보들은 매학기 필요한 것들이기에 활용하기 용이한 형태로 저장되어야 한다. 이는 학교 운영에 필요한 학사관리 데이터라고 할 수 있다. 즉 학생, 교수, 과목 등의 개체들이 유기적인 관계를 가지고 만들어 낸 일련의 데이터들은 학교의 효율적인 운영을 위해 필요하고 중요한 정보가 된다. 그래서 우리는 이러한 정보들을 관리하기 편하게 한 곳에 모아 체계적으로 운영하려고 한다. 이를 데이터베이스라 부른다.

데이터베이스란 특정 업무를 처리함에 있어 필요한 다양한 데이터들이 상호 연관되어 저장된 데이터의 집합체이다. 이때 데이터는 하나 또는 관련된 이상의 조직체들의 활동을 기술한 것이다. 데이터를 저장하는 창고를 가리키는 용어인 파일에서 유래되었다. 이러한 데이터베이스는 우리 주변에서 광범위하게 볼 수 있다.

현실세계에서 수집한 데이터를 컴퓨터 처리를 통하여 정보를 출력하는 시스템을 정보처리 시스템(Information Processing System)이라 한다. 출력된 정보를 데이터베이스 또는 파일에 저장해 두었다가 필요한 때에 사용하거나 시스템을 통하여 분배하게 되는데, 이때 정보 처리 시스템과 통신 시스템을 결합하여 정보 시스템(Information System)이라고 부른다. 예를 들어 경영자가 의사 결정을 하기 위하여 컴퓨터가 제공하는 정보를 이용하게 되는데 정보 시스템과 의사 결정 지원 시스템을 경영 정보 시스템(Management Information System)이라고 부른다.

데이터베이스시스템은 서로 관련 있는 데이터들의 집합체로 자료를 중앙에서 집중 관리하는 통합 시스템이다. 각 분야의 업무들을 유기적으로 연결하여 집중적으로 처리하는 것이다. 결과적으로 더욱 편리하고 효율적으로 데이터를 사용할 수 있도록 체계화해 주는 것이 데이터베이스 시스템(Data Base System:DBS)이다.

데이터베이스 이전의 파일 구성 체제는 효율적인 운영에 기여한 바는 크지만 정보화 시대의 대용량 데이터 처리를 요구하는 현 체제에서는 많은 문제점들을 보인다. 다양한 파일들은 중복되는 자료가 많다.

예를 들어 학교업무에 관한 파일 처리의 경우, 학사 관리 업무 파일의 내용이 강의 계획 업무 파일의 내용과 중복적으로 기록된다. 기존의 파일은 특정한 업무와 특정한 처리 방식에만 맞도록 각각 독립적으로 구성된 것이기 때문에 사용자의 요구 사항이 변경되면 매번 해당 프로그램을 다시 만들어야 한다. 학교 업무 파일인 경우 '학생의 이름순으로 출력하라', '수강 과목별로 학생의 이름을 출력하라'라는 명령이 들어 왔을 때 이러한 요구에 대한 프로그램을 각각 별개의 프로그램으로 만들어야 한다.

파일에 새로운 자료를 추가하는 경우에 처리가 복잡해진다. 새로운 학생 데이터가 들어 왔을 경우 적당한 곳에 삽입해야 하기 때문에 이에 대한 프로그램도 별도로 되어 있어야 한다. 종래의 파일을 이용한 처리는 특정업무에 대해서 고정된 방식으로 처리하기에는 비교적 수월하나 변동이 심하고 다양한 업무에는 좋지 못하다는 결론을 얻을 수 있다.

데이터베이스 이전의 파일처리 시스템은 기본적으로 하나의 데이터 파일이 있을 경우 다른 파일이 갖고 있는 내용을 참조할 수 없다. 데이터베이스에서는 이와 같은 문제점을 해소하고 컴퓨터라는 도구의 이용도를 최대한 높임으로써 업무의 효율화를 높이는데 그 목적이 있다. 데이터베이스시스템은 파일 시스템의 단점을 개선한 것으로 자료 변경이 용이, 자료 중복의 최소화, 무결성, 보안, 회복 등이 가능하다는 것이 장점이다. 데이터베이스시스템의 필요성은 정보를 관리하는데 보다 효율적인 생산성을 향상시키는데 있다. 다음은 데이터베이스시스템의 장점을 설명한다.

(1) 데이터의 공유성이 가능하다.

기존의 응용 프로그램들이 데이터를 공유할 수 도 있고, 새로운 데이터의 추가

없이 새로운 응용 프로그램이 필요로 하는 데이터를 제공할 수 있다는 것이다.

(2) 중복성이 감소된다.

파일처리시스템의 경우 각 응용은 별개의 개별적 파일을 갖는다. 저장된 데이터에서 상당한 중복성을 갖게 하고, 그 결과 많은 양의 기억장소가 낭비된다. 이 경우 중복성을 체크하고 몇 개의 파일을 통합하여 하나의 데이터베이스를 운영할 수 있다. 그렇지만, 모든 중복성을 제거해야 한다는 것은 아니다. 데이터 관리상 필요성을 위해 최소한의 중복을 허용해야하는 경우도 있다. 데이터베이스관리시스템(DBMS)이 중복성을 인식하고 중복성으로 인해 발생할 수 있는 일들을 확실하게 처리하는 것이다.

(3) 불일치를 피할 수 있다.

같은 데이터가 저장 데이터베이스에 두 개의 상이한 항목으로 표현된다고 가정해보자. 또한 DBMS가 이런 중복을 알지 못한다 하자. 이 경우 두 개의 항목 중 어느 한 개만 수정이 이루어진다면 저장 데이터베이스에 같은 데이터가 다른 형태로 표현되어 데이터베이스가 불일치 상태에 있다고 할 수 있다. 최소한의 중복을 요구하는 상태라면 중복성을 제거하지 않고 처리한다. DBMS가 하나의 수정된 내용을 가지고 동일한 데이터에 대해 수정작업을 하는 것이다. 그래서 저장 데이터가 불일치 상태에 있지 않다.

(4) 무결성을 유지할 수 있다.

데이터베이스의 내용이 정확하다는 것을 표현한다. 같은 사실을 나타내는 두개의 상이한 데이터는 무결성을 지키지 못한 것이다. 이러한 문제는 데이터가 중복되어 저장될 때 발생되는 것이다. 모든 중복된 데이터의 경우 한 개의 데이터가 수정이 되면 DBMS는 중복된 나머지 데이터에 대해서도 수정작업을 해야 한다.

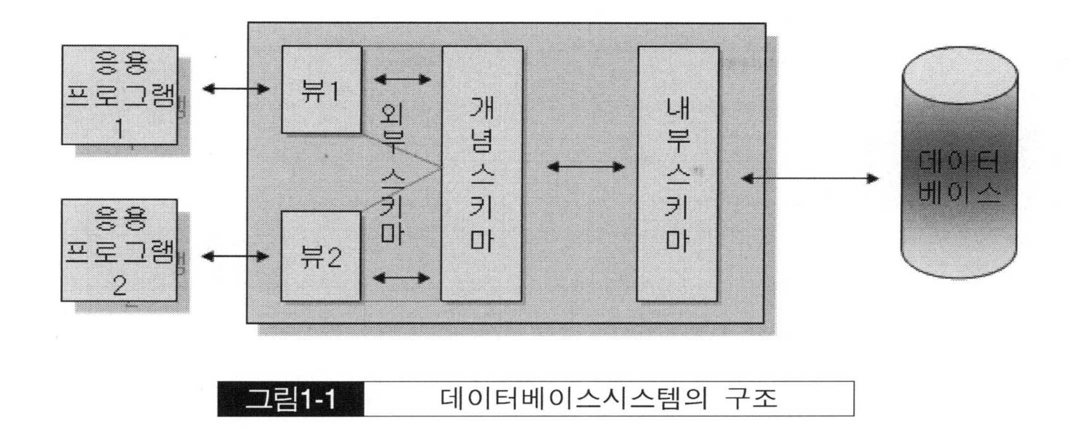

그림1-1 데이터베이스시스템의 구조

반면 데이터베이스 시스템은 DBMS라고 하는 특수한 소프트웨어가 작용하여 여러 데이터를 유기적으로 관리한다. 데이터베이스 시스템의 4가지 구성 요소는 데이터, 하드웨어, 소프트웨어, 사용자로 DBMS가 포함되는 경우도 있고 그렇지 않을 수도 있다. [그림1-1]에서 데이터베이스시스템 구조를 보듯이 사용자가 원하는 데이터를 찾고자 질의어를 작성한다. 작성된 질의어를 DBMS가 처리하여 컴퓨터 운영체제를 통과시키고 마지막 단계에서는 하드웨어의 장치에 찾기 쉽게 저장되도록 색인이나 키워드 중심으로 저장시킨다.

데이터베이스의 경우 자동적으로 중복이 배제되는 것은 아니다. 중복이 없는 데이터를 만들 수는 있다. 일반적으로 특수 목적을 위해 최소한 중복을 허용한다. 중복을 최소화함으로써 데이터를 처리할 때 차지하는 저장 공간을 절약하고 데이터 수정 사항에 대해서도 신속하게 적응할 수 있도록 변화된 데이터를 대상으로 업무를 처리할 수 있다. DBMS는 데이터의 중복성을 확실히 인식하고 계속되는 갱신을 명확하게 처리할 수 있어야 한다. 처리하지 못하게 되면 무결성을 지키지 못하게 되므로 데이터베이스의 내용을 정확하다고 표현할 수가 없게 된다.

종래의 파일 구조에서는 새로운 데이터가 추가되면 반드시 파일의 변동이 발생하게 된다. 기존 파일을 수정하지 않을 경우에는 새로운 파일을 정의해야 한다. 컴퓨터에 수록되어 있는 데이터는 안전하게, 그리고 비밀 보안을 하며 유지 관리하여야 한다. 보안이란 하드웨어나 소프트웨어의 잘못으로 인한 데이터의 손실을 방지할 뿐만 아니라 천재지변이나 절도, 또는 고의적인 자료의 유출로부터 데이터를 보호하는 것을 의미한다.

기억장치 내에 있는 데이터 차원에서의 데이터 보안은 두 가지로 구분할 수 있다. 첫째가 데이터 안전(data security)이다. 안전이란 우연이든 고의이든 데이터가 타인(허가가 되지 않은 사람)에게 인지되는 것을 막음은 물론 데이터가 일정 파괴의 목적이나 단순히 오락의 목적으로 수정되거나 파괴되는 것을 방지하는 것을 말한다. 둘째는 비밀 유지(privacy)이다. 비밀 유지란 개인 자격이나, 단체의 회원 자격으로 어떻게 또는 어느 한도까지 데이터를 취급할 수 있는 권리를 부여하고 그 한계를 지키게 하는 것을 말한다.

데이터베이스 이전의 파일에서는 동일한 데이터를 여러 사용자가 동시에 사용하는 것은 불가능했다. 매번 업무에 따라 필요한 데이터를 만들었기에 상당한 양의 데이터가 중복되어 관리됐음을 알 수 있다.

데이터베이스의 공유 개념은 두 가지의 의미를 가진다. 첫째, 데이터베이스의 부분 집합이 되는 데이터가 서로 다른 여러 사람의 사용자에 의해 서로 다른 목적의 업무에 이용되는 것이다. 종래의 파일의 경우 중복에 의하여 각각 원하는 데이터를 자신의 파일 내에 가지고 있으므로 하나의 파일을 다른 목적에 사용하는 경우는 흔한 일이 아니었다. 중복성을 최소화한 데이터베이스에서는 동일한 데이터를 다목적으로 사용하는 것이 바람직하다. 둘째, 동일한 데이터를 동일한 시간에 사용할 수 있는 것이다. 이것을 병행 처리(concurrent process)라고 한다. 똑같은 순간에 공유할 수 있다고 하여 병행 공유(concurrent sharing)라고도 한다. 병행 공유는 데이터베이스 목적으로 이점도 되지만 어느 경우에는 문제점이 된다. 데이터를 효율적으로 관리하는 방법이다. 데이터가 실제적으로 있는 관점에서 보는 것처럼 개념 스키마 안의 정의는 보안 검사, 무결성 검사 등과 같은 매우 많은 속성들이 포함되어 있다.

1.2 데이터베이스시스템의 구조

데이터베이스시스템은 대규모의 정보를 관리하도록 설계되었다. 데이터의 관리는 정보의 저장을 위한 구조의 정의하는 작업과 정보의 조작을 위한 기법을 제공하는 작업 모두를 포함한다. 또한, 데이터베이스시스템의 고장이나 불법적인 액세스로부터 저장된 정보를 안전하게 지켜야 한다. 데이터가 여러 사용자 간에 고유될 경우, 이로 인한 예기치 않은 이상 결과를 방지해야 한다.

데이터베이스의 구조를 스키마(schema)라 한다. 스키마는 데이터베이스 전체를 정의하는 것이므로 스키마란 객체와 개체의 속성, 이들 간의 관계(relationship), 이들에 관한 제약(constraint) 등을 기술한 것이다. 스키마는 사용자의 관점에 따라 여러 개의 부분 집합으로 나눌 수 있다. 이렇게 쪼개진 스키마의 부분 집합을 서브스키마(subschema)라고 한다. 데이터의 추상화 된 개념은 [그림1-2]과 같이 3층 구조를 갖는다.

[그림1-2]에서 보듯이 데이터베이스시스템은 3개의 스키마로 구성되어 있다. 개념스키마는(conceptual schema)는 전체 데이터베이스의 정보내용을 나타내고 있는 것으로 데이터베이스를 구성하는 자료들과 속성 그리고 자료들 간의 관계 등의 논리적인 구조를 의미하며, 외부스키마(external schema)는 개념스키마 중에서 응용 프로그램이 접근하는 부분만을 정의한 것으로서 뷰(view)라고도 한다. 내부스키마(internal schema)는 전체 데이터베이스의 하위 단계이다.

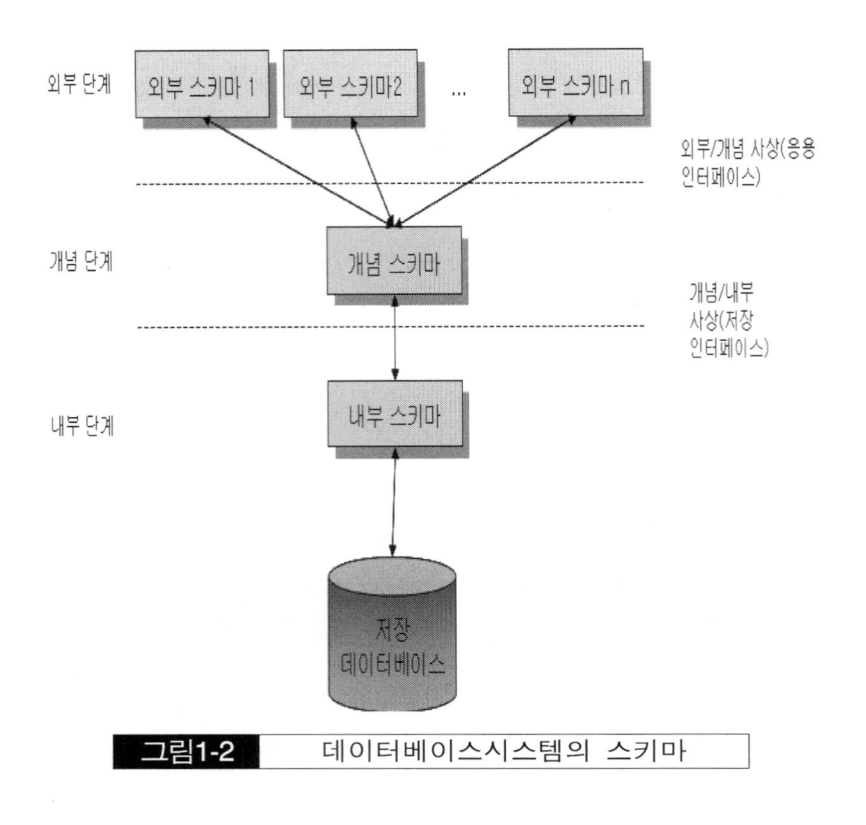

그림1-2 데이터베이스시스템의 스키마

❑ 구조의 3가지 단계

(1) 개념 스키마(conceptual schema)

일명 "스키마" 라 하며 오직 하나만 존재한다. 논리적인 데이터베이스 전체의 구조를 의미한다. 데이터베이스 파일에 저장되어 있는 데이터의 형태를 도표로 나타낸 것이다. 레코드와 데이터 항목의 이름을 부여하고 그들 사이의 관계를 명시해 준다. 스키마의 골격을 잡고 작성된 스키마를 골격 스키마라고 한다. 요구사항 분석 시 결정된 주요 개념이 골격 스키마의 E-R 모델의 개체가 되도록 한다. 개체가 선택되면 그 개체를 중심으로 관계성을 부여한다. 요구사항에서 명시된 모든 기능들을 표현하기 위해 보완 스키마를 완전히 다듬는 것이다. 애트리뷰트, 키의 정의, 개념적 설계의 목표 데이터베이스의 구조, 의미, 관계성 등 논리적인 데이터베이스 전체의 구조를 의미한다. [그림 1-3]에서는 데이터베이스에 저장되어 있는 데이터의 형태를 나타내는 표현방법이다. 레코드와 데이터 항목의 이름을 부여하고 그들 사이의 관계를 표현한다.

<table>
<tr><td>외부적 (C)
string em-Num="";
string de-Num="";
int salary=0;</td><td>외부적 (Java)
public String em_Num;
public String de_Num;
public int salary;</td></tr>
<tr><td colspan="2">개념적

EMPLOYEE
EMPLOYEE_NUMBER CHARCTER (6)
DEPARTMENT_NUMBER CHARACTER (4)
SALARY NUMERIC (5)</td></tr>
<tr><td colspan="2">내부적

STORED_EMP LENGTH=18
PREFIX TYPE=BYTE(6), OFFSET=0
EMP# TYPE=BYTE(6), OFFSET=6, INDEX=EMPX
DEPT# TYPE=BYTE(4), OFFSET=12
PAY TYPE=FULLWORD, OFFSET=16</td></tr>
</table>

그림1-3 3단계 표현의 예

(2) 내부 스키마(internal schema)

물리적인 데이터의 구조를 유일하게 보여주는 스키마이다. 즉, 기억장치 내에 데이터가 저장되어 있는 데이터의 물리적인 설계도라 할 수 있다. 오직 하나만 존재하는 외부 스키마의 개념 스키마는 물리적인 데이터의 구조를 보여 주지 않는다. 개념 스키마와 내부 스키마는 하나만이 존재한다. 내부 스키마는 시스템 프로그래머나 시스템 설계자가 바라보는 데이터베이스의 관점이다. 데이터의 저장 위치, 데이터의 구조, 파일 구성 및 보안 대책 등을 결정하는 물리적 계층이라 할 수 있다. 각 레코드, 즉 고객, 계정 및 직원 레코드는 기억 장치의 연속된 장소에 저장되는 하나의 블록으로 바이트나 워드 단위로 기술된다.

(3) 외부 스키마 (external schema)

외부 스키마는 여러 가지 측면에서 데이터베이스를 바라보는 관점이므로 여러 개가 있을 수 있다. 3계층 스키마의 하나인 외부 스키마는 사용자가 직접 인터페이스를 조작할 수 있는 바깥쪽의 스키마로서 일반적으로 서브스키마라는 이름으로 많이 부른다. 데이터 추상화의 최상위 단계로서 전체 데이터베이스의 일부분만을 기술해 놓는다. 외부 계층의 데이터베이스에 대한 여러 개의 뷰(view)를 정의할 수 있다. 예를 들면 급여 업무 담당자의 경우는 데이터베이스에서 은행 직원에 대한 급여 정보 부분만 액세스가 가능하고, 은행 창구 행원의 경우는 고객 계정에 대한 정보만 액세스가 가능하다는 것이다. 결과적으로 같은 데이터베이스에 대해서도 서로 다른 관점을 정의할 수 있도록 허용한다. 응용 프로그래머와 단말 사용자들은 그들이 원하는 데이터에만 액세스하면 된다. 그들이 액세스할 수 있는 데이터베이스가 외부 스키마이다. [그림 1-3]에서 외부 스키마의 표현방법으로 많이 사용하고 있는 C 프로그래밍과 Java 프로그래밍 예제를 사용하였다.

데이터베이스의 역할은 다양하다. 그 가운데 몇 가지 중요한 기능을 살펴보자. DBMS의 선택과 그 밖의 결정 요소들은 개념적 스키마와는 독립적으로 변경이 가능하다. 개념적 스키마 자체를 잘 이해하는 것이다. 데이터베이스 사용자와 설계자 또는 분석자 개념적 스키마 설계는 상위 레벨 데이터 모델을 사용하여 이루어진다. 데이터베이스의 중요한 목적중의 하나이다.

컴퓨터에 수록되어 있는 데이터는 안전하게, 그리고 비밀 보안을 하며 유지 관리하여야 한다. 보안이란 하드웨어나 소프트웨어의 잘못으로 인한 데이터의 손실을 방지할 뿐만 아니라 천재지변이나 절도, 또는 고의적인 자료의 유출로부터 데이터를 보호하는 것을 의미한다.

기억장치 내에 있는 데이터 차원에서의 데이터 보안은 두 가지로 구분할 수 있다. 첫째가 데이터 안전(data security)이다. 안전이란 우연이든 고의이든 데이터가 타인(허가가 되지 않은 사람)에게 인지되는 것을 막음은 물론 데이터가 일정 파괴의 목적이나 단순히 오락의 목적으로 수정되거나 파괴되는 것을 방지하는 것을 말한다.

둘째는 비밀 유지(privacy)이다. 비밀 유지란 개인 자격이나, 단체의 회원 자격으로 어떻게 또는 어느 한도까지 데이터를 취급할 수 있는 권리를 부여하고 그 한계를 지키게 하는 것을 말한다.

사용자에게 데이터에 대한 추상적인 관점을 제공한다는 것은 데이터베이스의 중요한 기능 중의 하나이다. 시스템은 데이터가 어떻게 저장되고 유지되는지에 관한 세부 사항을 일반 사용자에게 숨기도록 함으로써 쉽고 편리한 작업을 할 수 있는 환경을 제공해 준다. 데이터베이스를 보는 관점을 추상화 시켜 몇 개의 추상화 된 단계를 정의함으로써 이루어진다.

1.3 데이터언어와 데이터관리자

(1) 데이터 정의어(Data Definition Language)

데이터베이스 언어, 통상적으로 데이터 언어는 다음과 같이 이루어진다. 데이터베이스 스키마는 데이터 정의어라고 하는 언어를 통하여 만들어진다. 정의된 자료의 내용을 자료 사전(Data Dictionary)에 기억하고 실제 데이터가 입력될 때 무결성을 위해 검사하는 기능을 수행하는 언어이다. 이러한 데이터 정의어들을 번역한 결과가 특별한 파일 구성을 위한 테이블로 정의된다. 이 테이블에 데이터만 채워주면 곧 데이터베이스가 된다. 즉, 데이터베이스 내의 독립적인 객체에 대한 정의나 각각의 객체를 표현한다. 데이터베이스시스템에 의하여 사용되는 저장 구조와 액세스 방법은 데이터 정의어 속에 들어 있는 여러 가지 기능으로 지정된다.

(2) 데이터 조작어(Data Manipulation Language)

데이터 조작어(Data Manipulation Language)는 데이터베이스 내에 저장된 정보를 검색하는 일, 데이터베이스에 새로운 정보를 첨가하는 일, 그리고 데이터베이스로부터 정보를 삭제하는 일 등을 말한다. 물리적 계층에서는 데이터를 효율적으로 액세스하기 위한 알고리즘을 반드시 정의하여야 한다. 데이터 조작어는 사용자로 하여금 주어진 데이터 모형에 근거하여 조직된 데이터를 액세스하거나 조작하도록 지원하는 언어이다.

데이터를 조작하는 작업은 데이터베이스내에 저장된 정보를 검색하거나 데이터베이스에 새로운 정보를 삽입하는 것이다. 또한 데이터베이스로부터 정보를 삭제하거나 데이터베이스 내에 저장된 데이터를 수정하는 작업도 포함한다. 보통 응용 프로그래머가 사용한다. 절차식 언어와 비절차식 언어가 있다.

(1) 절차 언어

어떤 데이터가 필요하며 그 데이터를 어떻게 구할지에 대한 절차를 지정한다. 응용 프로그램에서 조작 대상 데이터를 정의하고 데이터를 접근하는 방법까지 기술해야 하는 언어이다.

(2) 비절차 언어

필요한 데이터를 어떻게 구할지 명시할 필요 없이, 어떠한 데이터가 필요한 지 지정하도록 사용자에게 요구한다. 응용 프로그램은 조작 대상 데이터를 정의하고 데이터를 접근하는 방법은 시스템이 결정하는 언어이다.

데이터베이스 시스템의 목적은 다음과 같다. 데이터베이스에 원하는 정보를 저장하거나 데이터베이스로부터 원하는 정보를 쉽게 검색하기 위한 환경을 제공하는 것이다. 이러한 시스템 사용자들은 시스템과 대화하는 수준에 따라 다음과 같이 나뉜다.

1) 데이터베이스 관리자(DataBase Administrator)

시스템 전반적인 내용에 대해서 중앙에서 제어하는 작업을 가리킨다. 데이터 정의어로 작성된 일련의 정의를 실행함으로써 최초의 데이터베이스 스키마를 생성하고 저장 구조와 액세스 방법에 대해서 정의를 하기도 한다. 데이터베이스의 사용자에게 데이터 액세스를 위한 여러 가지 서로 다른 형태의 권한을 규정하는데 데이터베이스 관리자는 데이터베이스의 어떤 부분을 어떤 사용자들 액세스 할 수 있을지 결정한다.

2) 응용 프로그래머

응용 프로그래머(application programmer)는 컴퓨터를 이용하는 전문가로서,

호스트 언어(host language:C 등)로 작성된 프로그램에 데이터조작어 호출문을 삽입한다. 데이터조작어 구문은 호스트 언어의 구문과 달라 데이터조작어 호출문의 맨 앞에 특수 문자를 표시한다. 데이터조작어 프리컴파일러는 데이터 조작어 문들을 호스트 언어로 표현되는 보통의 프로시저 호출문(procedure call)으로 변환한다. 결과로 나오는 프로그램은 호스트 언어 컴파일러에 의하여 변환되어 목적 코드(object code)로 생성된다. 프로그래밍 언어와 질의어와 같은 데이터 언어를 구사하여 데이터베이스 시스템을 구현한다.

3) 일반 사용자

일반 사용자(end user)는 프로그램을 작성하지 않고 데이터베이스를 사용하는 사람이다. 일반 사용자는 질의어로써 이러한 질의는 질의 처리기(query processor)에서 처리되며, 데이터 조작어 문장에 포함된 명령어를 분해하여 데이터베이스 관리 프로그램이 이해하는 명령들로 만든다.

연습문제 EXERCISES

1.1 데이터베이스 시스템은 파일 시스템의 단점을 보완한 시스템이다. 데이터베이스 시스템의 특징을 설명하시오.

1.2 데이터베이스의 3단계 스키마구조를 그리고 설명하시오.

1.3 데이터정의어와 데이터조작어에 대해서 설명하시오.

1.4 데이터베이스 관리자의 역할에 대해서 기술하시오.

2장. 데이터베이스관리시스템

2.1 데이터베이스관리시스템의 정의

데이터베이스란 연관성 있는 데이터의 집합을 말하며, 하나의 데이터는 기록될 수 있 뚜렷한 의미를 지닌 하나의 실질적인 자료를 나타낸다. 데이터베이스관리시스템(DBMS:DataBase Management System)은 사용자들로 하여금 데이터베이스들을 생성 및 유지하도록 제작된 프로그램들의 집합이다. DBMS는 사용자들에게 데이터베이스의 생성, 입력, 수정, 검색 등의 작업을 지원해 준다.

개체는 모든 데이터 모델에서 사용되는 용어이며, 데이터베이스 상의 대상을 의미한다. 예를 들면, 학생 관리 데이터베이스에 있어서 학생, 과목, 성적 등이 그 데이터베이스의 개체들이며 각각 파일(file)로 나타내게 된다. 스키마는 데이터베이스 자체의 묘사이며 실질적으로 수록되는 데이터의 종류를 포함한다. 애트리뷰트는 각 개체의 항목을 말하며 dBASE에서 필드(field)라고 부른다. 학생 개체를 생각해보면, 애트리뷰트는 성명, 학번, 학부, 전공으로 그 개체를 구성한다. 애트리뷰트는 실질적인 데이터를 나타내지 않으며 단지 데이터의 종류와 크기를 명시한다.

실질적인 데이터들의 집합으로 개체의 인스턴스(instance) 또는 어커런스(occurrence)라고하며, dBASE에서는 이를 레코드(record)라고 한다. DBMS 언어는 데이터정의어(Data Definition Language)와 데이터 조작어(Data Manipulation Language)로 구분한다. 이들 언어는 기초 운영 체제와 사용자 인터페이스, 호스트 언어 및 질의어 사이에 데이터베이스의 활용을 지원한다.

데이터베이스를 표현하기 위한 언어로 서브스키마 데이터 정의어는 데이터베이스의 외부적 뷰를 생성하고, 데이터 조작어는 위 두 개의 데이터 정의어에 의해 정의된 데이터베이스를 조작하기 위한 연산자의 집합으로 구성하여 실행프로그램으로 다음 기능을 지원한다.

데이터베이스 관리자는 데이터베이스 스키마의 실질적인 형태에 대해 데이터 정의어를 수정 작업을 한다. dBASE의 경우 이미 데이터 정의어가 내장되어 있으며, 이 정의문을 사용자로 하여금 통일된 스키마 형성을 구축하지만, 한편으로는 더욱 효율성 있는 데이터 정의어 설계를 지원한다.

데이터 조작어는 데이터의 저장, 삽입, 삭제, 수정, 조회 및 검색의 기능들을 지원하며 호스트 언어와도 연결하여 사용이 가능하다. 데이터의 물리적 저장 및 복귀 작업은 운영체제가 지원해 주며 이는 데이터베이스 및 DBMS 사이에 존재한다.

정보 구조의 가장 단순한 방법은 프로그램이 직접 저장 디바이스를 제어하고 데이터를 저장, 접근하는 플랫 파일을 사용하는 것이다. 다수의 사용자가 플랫 파일의 데이터를 공유하는 경우 데이터의 보안 및 일관성 문제가 발생된다. 이런 문제점을 해결하기 위해 데이터를 구조화하고 접근 통제를 하는 프로그램인 데이터베이스 시스템이 출현하게 되었다.

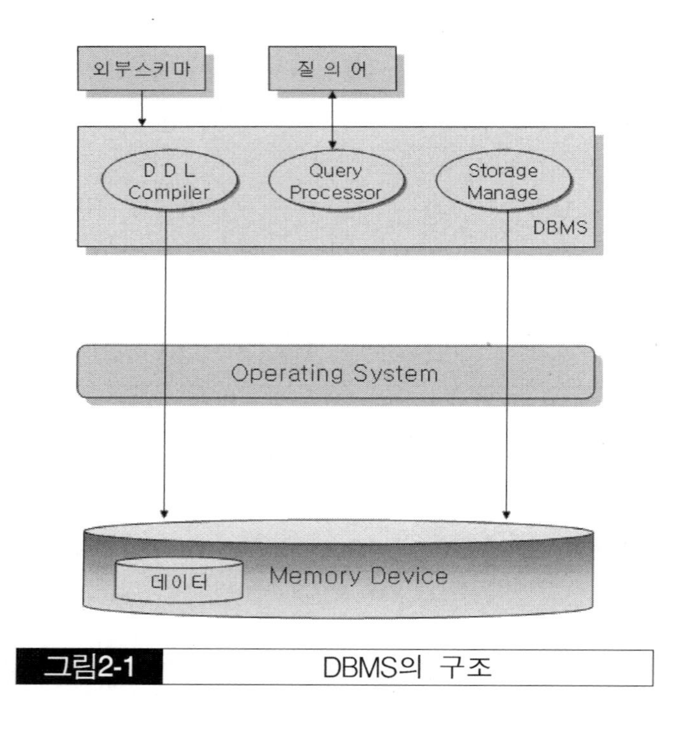

그림2-1 DBMS의 구조

데이터베이스와 응용 프로그램 간 상호 작용의 수단을 제공한다. 하나의 데이터베이스 형태로 여러 사용자들이 요구하는 대로 데이터를 기술해 줄 수 있도록 데이터를 조직하는 기능을 말한다. 각 응용 프로그램은 이 데이터 정의를 통해 데이터 요구 사항을 DBMS에 표현한다.

관계형 데이터베이스와 망형 데이터베이스의 데이터 구조 경직성은 복잡한 정보 관리에 많은 문제를 야기해 새로운 접근 방법인 관계형 데이터베이스가 출현하게 되었다.

데이터 접근과 처리 연산자가 프로그램 코드로부터 분리되어 프로그래머의 일이 단순해진다. 그러나 유연한 데이터 접근 비용과 프로그램 수행할 때 내부의 복잡한 연결 작업으로 인한 속도 저하가 단점이다. 3세대 DBMS는 관계 데이터베이스와 객체 지향 데이터베이스를 모두 수렴하여 멀티미디어 데이터베이스로 향하게 되며 수년 이내에 활용 가능한 상용 멀티미디어 데이터베이스가 가시화될 것이다.

2.2 데이터베이스관리시스템의 기능

DBMS는 데이터베이스의 모든 액세스를 취급하는 소프트웨어이고, 데이터베이스에 대한 기능을 내포하여 DBMS는 응용 프로그램이 데이터에 대한 모든 액세스가 가능하도록 데이터베이스를 관리하는 소프트웨어이다. 그 기능은 데이터를 조작하고, 데이터를 제어하는 것이다.

2.2.1 정의기능

데이터베이스와 응용 프로그램 간 상호 작용의 수단을 제공하고 하나의 데이터베이스 형태로 여러 사용자들이 요구하는 대로 데이터를 기술해 줄 수 있도록 데이터를 조직하는 기능을 말한다. 각 응용 프로그램은 이 데이터 정의를 통해 데이터 요구 사항을 DBMS에 표현한다.

DBMS 환경에서 데이터 정의는 세 가지 요건을 만족해야 한다. 모든 응용 프로그램들이 요구하는 데이터 구조를 지원할 수 있도록 데이터베이스의 논리적 구조와 그 특성을 어떤 데이터 모델에 따라 명세하여야 한다. 관계, 계층, 네트워크 데이터 모델이 가장 일반적인 데이터 모델이다. 데이터베이스가 물리적 저장 장치에 저장될 수 있도록 데이터의 물리적 구조를 명세하여야 한다. 데이터의 물리적 구조와 논리적 구조 사이에 변환이 가능하도록 이 두 구조 사이의 사상(mapping)을 명세해야 한다.

DBMS의 장점을 알아본다.

(1) 데이터 독립성

응용 프로그램은 데이터의 표현 및 저장 내부에 대해서 될 수 있으면 독립적이어야 한다. 데이터에 대한 추상적인 관점을 제공함으로 응용 코드와 이러한 내부를 분리시킬 수 있다.

(2) 효율적인 데이터 접근

데이터를 효율적으로 저장하고 검색하는 정교한 기법들을 다양하게 활용하고 있다. 데이터가 보조 기억장치에 저장될 때 특히 중요하다.

(3) 데이터 무결성과 보안성

DBMS는 데이터에 대한 무결성 제약조건을 집행할 수 있다. 예를 들어 학생의 수강신청을 처리할 때 DBMS는 기존의 수강했던 과목이었는지를 점검하는 재수강 여부를 체크할 수 있다.

(4) 중복성의 제어

동일한 정보를 여러 번 저장하는 중복성은 여러 가지 문제를 야기한다. 논리적으로 한 번의 변경이지만 중복된 횟수만큼 반복해서 변경해야 한다. 이를 해결하고자 파일이 변경될 때마다 DBMS가 자동으로 일치하는 레코드의 존재 여부를 검사하게 된다. 데이터의 중복을 DBMS가 자동으로 제어하므로서 정확하고 신속하게 제어할 수 있다.

2.2.2 조작기능

조작기능은 사용자와 데이터베이스 간의 상호 작용의 수단을 제공한다. 데이터의 검색, 갱신, 삽입, 삭제 등 데이터베이스 연산을 지원하기 위한 데이터베이스를 액세스 할 수 있는 능력으로서 그 도구는 다음과 같은 세 가지 요건을 만족해야 한다. 데이터 조작을 위한 처리 절차는 용이하고 자연스러워야 한다. 데이터를 보다 명확하고 완전하게 처리해야 하고 처리 절차가 효율적이어야 한다.

2.2.3 제어 기능

DBMS는 공용 목적으로 관리되는 데이터베이스의 내용을 항상 정확하게 유지할 수 있는 제어 기능을 가지고 있어야 한다. 제어 기능이 갖추어야 할 3가지 요건은 다음과 같다. 첫 번째, 데이터베이스를 액세스하는 갱신, 삽입, 삭제 작업이 정확히 수행되어 데이터의 무결성이 지켜져야 한다. 두 번째, 정당한 사용자가 허가된 데이터만 액세스할 수 있도록 보안과 권한을 검사할 수 있어야 한다. 세 번째, 여러 사용자가 동시에 데이터베이스를 액세스하여 데이터를 처리할 때 데이터 간의 모순성이 일어나지 않도록 병행 실행 제어(concurrency control)를 할 수 있어야 한다.

DBMS의 제어기능에는 다음과 같은 기능들이 포함된다.

(1) 무결성

같은 손상으로부터 데이터베이스를 보호해주고, 운영체제 무결성 제어와 복구 절차 등의 기능에 의해 제기된다. 원소 무결성은 규정된 데이터 원소의 값은 인가된 사용자들에 의해서만 갱신되고, 적절한 액세스 제어는 비인가 사용자에 의한 변조로부터 데이터베이스를 보호한다. 원소 정확성은 정확한 값들만이 데이터베이스의 원소들로 사용된다는 점이다. 원소들의 값에 대한 검사는 부적절한 값의 삽입을 방지할 수 있다.

(2) 보안

보안이라는 용어는 비인가자의 데이터 누설, 변경 및 파괴로부터 데이터베이스를 보호하는 의미로 사용되는 어휘이다. 데이터베이스 안전에 위협을 주는 사항에 대한 보안 대책이 필요하다. 보안를 통제 방법은 법률적, 사회적 및 윤리적 통제와 물리적 통제, 경영 및 행정적 통제 , 기능적 통제, 하드웨어 통제, 오퍼레이팅 시스템 통제 , 데이터 베이스 자체 통제 등 사용자 구분과 사용 자격 심사가 구분된다. 구분된 각 사용자에 대하여 시스템은 사용자 프로필을 만들어 유지하고 있어야 한다. 구분된 사용자가 특정 목적물에 액세스하고자 할 때 시스템은 그 자격 여부를 심사한다. 데이터 암호화는 데이터, 메시지, 패스워드 등을 저장하는 과정 또는 통신하는 과정에서 이루어져야 한다.

(3) 병행 실행

데이터베이스는 공유하는 자원이다. 결과적으로 둘 이상의 사용자 또는 응용 프로그램이 동일한 데이터를 동시에 액세스하고자 할 때 문제는 야기된다. 병행 처리(concurrent processing)는 동시 처리와 개념이 다르다. 병행 처리는 여러 가지 자원들이 복수개의 업무에 할당되어 별도로 운영되므로 외관상 동일 시간에 처리되는 것처럼 보일 수 있다. 동일한 시간에 동일한 데이터베이스를 다수의 사용자가 액세스하는 것을 병행 실행이라고 한다. 동시 처리를 규정하는 동기화는 다음과 같다.

동기화라는 용어는 아래 두 가지의 서로 다르면서도 연관이 있는 문제의 해결을 정의할 때 이용되는 동시 처리의 기법이다. 하나의 작업을 이루는 관련 있는 프로세스들이 순차적으로 수행될 때, 이들 프로세스들 간의 연결 작용을 규정하고 제어하는 일이다. 동일한 목적물에 다중 프로세스들이 동시 실행을 요구해 올 때, 이 프로세스들을 나열하는 일이다.

병행 실행의 문제점은 다음 세 가지 형태의 불일치 문제점이 발생한다. 손실된 갱신의 문제, 허상 판독의 문제, 계속할 수 없는 판독의 문제가 그것이다. 로킹(locking)이란 DBMS는 운영 체제가 자원 공유를 위한 병행 실행의 문제를 제어할 수 있도록 로킹 기술을 이용하고 있다. 로크(lock)는 공유되고 있는 각 대상 항목에 적용된다. 로크는 하나의 트랜잭션이 사용하는 대상 목적물에 다른 트랜잭션이 액세스하지 못하도록 자물쇠를 채우는 방법이다. 다음과 같은 두 가지 로크가 있다. 독점 로크는 로크가 걸린 목적물에 대해 어떠한 다른 프로세스의 액세스를 허용하지 않는다. 공유 로크는 다중 프로세스를 허용하되 액세스 종류에 제한을 가한다. 하나의 목적물에 대하여 동시에 독점 로크와 공유 로크를 장치할 수 없다. 두 가지 로크 기술은 양립할 수 없기 때문이다.

(4) 예비와 회복

예비와 회복은 데이터베이스 운영에서 가장 중요한 부분이다. 다음과 같은 오류에서 시스템은 회복할 준비가 되어 있어야 한다. 첫 번째, 시스템 오류는 불량 테이프나 디스크가 만들어져 판독되지 않는 경우나 입출력 패리티 오류가 발생하는 것이다. 두 번째, 시스템 붕괴는 정전, 하드웨어 고장 등을 가리킨다. 세 번째, 컴퓨터 입력된 데이터에 오류가 있을 때 발생하는 데이터의 오류이다. 네 번째, 데이터를 이용하여 데이터베이스를 구성하는 프로그램이나 파일을 갱신하는 프로그램에 오류가 발생하는 프로그램 오류이다. 위와 같은 네 가지 문제 중에서 예비와 회복을 위한 두 가지 방법이 있다. 첫 번째, 덤프법은 데이터베이스를 주기적으로 덤프하는 방법이다. 여기서 덤프는 데이터베이스 전체를 또 다른 기억장치에 복제하는 것을 말한다. 두 번째, 일지 기록법은 갱신 작업에 관한 일지를 기록하는 방법이다. 시스템에 의해 컴퓨터 기억 장치에 사용, 갱신등의 전후사정을 저장하고, 변동 이전의 데이터베이스 상황을 기록하고, 또다시 변동 이후에 데이터를 기록하는 과정을 반복한다.

2.3 데이터 모델의 종류

데이터 모델은 개념상의 데이터 구조를 나타내며, 구체적인 데이터 구분이나 그 내용이 명시되어 있지 않다. 데이터 모델에는 계층 데이터 모델, 네트워크 데이터 모델, 관계 데이터 모델 등이 있다.

(1) 계층 데이터 모델

계층구조는 인간 사회와 매우 친숙하고 자연스러운 모형이다. 데이터베이스는 인간의 실사회를 표현한 것이어서 계층적으로 구성된 실사회를 계층적 데이터

모형으로 표현하는 것은 당연하다. 나뭇가지 식으로 하나의 인스턴스에서 다수의 서브 인스턴스를 갖는다. 부모-자식의 관계는 하나의 자식이 여러 개의 부모를 지닐 수 없다

(2) 네트워크 데이터 모델

네트워크 모델은 계층 모형에서 획일적인 트리 구조 형성을 위하여 제시한 제약 사항을 탈피한 모델로 서로 관련 있는 세그먼트들이 그물처럼 얽히어 전체 구조는 하나의 망처럼 되어 있다. 네트워크 모델의 장단점은 다음과 같다. 계층 모형과 반대로 구조는 복잡한 대신에 이용하는 데이터 언어가 간단하여 계층 모형과 대조를 이룬다. 특정 하드웨어에 종속되지 않은 DBMS 개발(TOTAL)로 인하여 계층 DBMS보다 훨씬 널리 사용가능 하다.

계층 모델의 중복성을 보완하기 위하여 각각의 자식노드가 여러 부모노드를 가질 수 있다. 스키마 설계가 복잡하고 한 번 제작된 스키마는 변경이 매우 어렵다. 학생 관리와 같은 다수 대 다수의 개체 관련 데이터베이스에서 효율적이다.

(3) 관계 데이터 모델

각 개체는 각 인스턴스를 대표하는 기본 키(primary key)를 갖는다. DBMS 언어가 각 키를 연결시켜 사용하게 하며 이에 사용되는 관계함수가 지원된다. 서로의 개체는 각각의 인스턴스만 수록되어 있다. 서로의 개체는 각각의 인스턴스 수에 관계없으며 단지 각 개체를 대표하는 키를 연관시켜 관계 데이터베이스를 구축 한다.

2.4 데이터 독립성(data independency)

데이터 독립성은 세 단계의 데이터 추상화를 통해 얻을 수 있는데 특히 개념 스키마와 외부 스키마의 분리로 이러한 장점을 얻게 된다. DBMS가 데이터 독립성을 제공한다는 점이다. 데이터 독립성은 고수준의 스키마를 변경할 필요없이 데이터베이스 시스템의 어떤 단계에서 스키마를 변경할 수 있는 능력으로 정의된다. 두 가

지 데이터 독립성의 유형이 있다.

(1) 논리적 데이터 독립성(logical data independency)

논리적 데이터 독립성은 외부 스키마나 응용 프로그램들을 변경하지 않으면서 개념 스키마를 변경하는 능력이다. 사용자들은 데이터의 논리적인 구조, 또는 저장 릴레이션의 변화로부터 보호될 수 있는 성질을 말한다.

(2) 물리적 데이터 독립성(physical data independency)

물리적 데이터 독립성은 개념 스키마를 변경하지 않으면서 내부 스키마를 변경할 수 있는 능력이다. 따라서 외부 스키마도 변경할 필요가 없다. 개념 스키마는 데이터의 물리적인 저장구조 변화로부터 사용자들을 떼어 놓을 수 있다.

연습문제 EXERCISES

2.1 DBMS의 기능을 설명하시오.

2.2 물리적 데이터 독립성과 논리적 데이터 독립성에 대해서 설명하시오.

2.3 모든 데이터의 중복은 허용하지 않아야 되는지 설명하시오. 만약 그렇지 않은 경우가 있다고 하면 필요한 이유를 설명하시오.

2.4 데이터 무결성에 대해서 설명하시오.

2.5 데이터 모델 3가지를 비교 설명하시오.

3장. 관계데이터베이스 설계

3.1 데이터베이스시스템의 SDLC

데이터베이스 생명주기는 기존 소프트웨어 개발 생명주기와 유사하나 기획 및 설계 부분에서 차이가 있다. 데이터베이스 기획, 사용자 요구사항 분석 및 정의, 설계, 구현, 프로토타입에 의한 병행 처리, 운영 및 유지 관리인 6단계 이외에 타당성 조사, 설계의 세분화(개념적, 논리적, 물리적 설계), 데이터 제작, 문서화 단계 등을 추가할 수 있다.

(1) 데이터베이스기획

데이터베이스 개발을 위한 전략과 계획을 수립하는 과정으로 조직 내의 전체 업무 기능 간의 자원의 흐름을 분석하여 계획 작성한다. 자원의 유용성등을 검토하고 데이터 구조 및 출처, 부서 간의 의존 및 관계성 등을 파악한다.

(2) 요구 사항 분석 및 정의

데이터베이스를 사용할 조직에서 현재 사용하고 있는 데이터 항목 및 그들간의 관계를 정확하게 분석하여 설계 단계에서 사용하기 편리한 형태로 문서화 하는 것이다. 데이터베이스 설계의 전체 과정 중에서 가장 어렵고 시간이 많이 소요되는 작업이며 후속 설계 작업의 대부분이 분석 작업을 기초로 해서 이루어지기 때문이다.

(3) 설계(Design)

조직의 현재 및 미래의 요구 사항을 만족시킬 데이터베이스 구조를 개발하는데 그 목적이 있다. 멀티미디어 데이터베이스 설계는 텍스트 데이터베이스 보다 설계 단계의 업무가 가중된다.

(4) 구현(Implementation)

데이터베이스 테이블 생성 작업을 수행하고 데이터베이스 관리자는 데이터 로

딩 작업을 지휘한다. 데이터베이스의 물리적 구조를 조정한 후 조정된 데이터베이스 구조의 주요 골격을 사용할 DBMS에 맞추어 프로그래밍하고 테스트 한다.

(5) 병행처리

기존 시스템과 프로토타입 데이터베이스를 병행적으로 실행하고 그 차이점을 발견하여 수정함으로써 문제점을 해결한다.

(6) 운영 및 유지

데이터베이스가 현재의 데이터들을 사용하면서 계속적으로 갱신해 가는 과정을 데이터 현행화라고 불린다. 데이터베이스 관리자는 변화를 예상하고 데이터베이스 성능을 높일 수 있도록 수정행위를 지속적으로 수행하여야 한다.

3.2 개체-관계(Entity Relationship:E-R) 모델

현실세계의 불분명한 개체들을 대상으로 추상화기법을 적용하여 정보모델링을 만들고, 만들어진 정보모델링의 정보를 체계적으로 구조화시킴으로써 데이터모델링 작성한다.

(1) 정보 모델링(Information Modeling)

개념 세계에서 인간의 이해를 위해 현실 세계에 대한 인식을 추상적 개념으로 표현하는 과정으로 정보 모델링으로 부터 얻은 결과를 가지고 정보 구조를 형성한다.

(2) 데이터 모델링(Data Modeling)

정보로부터 컴퓨터의 DBMS가 지원하는 어떤 논리적 데이터 구조로 변환시키는 과정에서 만들어진다.

다음은 E-R모델의 기본요소에 대해서 설명한다. 기본요소로는 데이터구조, 연산, 제약조건, E-R 데이터모형이 있다.

(1) 데이터 구조

데이터베이스에 표현할 대상으로서의 개체 집합과 이들 간의 관계를 명시하는 것으로 데이터 객체와 그 조직 방법을 기술한다.

(2) 연산

데이터베이스 내에 실제로 내장된 인스턴스(실제 데이터)를 처리하는 작업에 대한 명세로서 데이터베이스의 동적성질을 나타낸다. 데이터베이스를 필요에 따라 조작하는 기본 도구가 되는 것으로 연산을 통해서 데이터베이스는 한 테이블 상태에서 다른 상태로 변하게 되는 것이다.

(3) 제약조건

데이터베이스에 허용될 수 있는 애트리뷰트(attribute)에 대한 논리적 제한을 명시한 것이다.

(4) E-R 데이터 모형

개체 집합(entity set)과 이들 간의 관계 집합(relationship set)을 이용해서 현실 세계를 개념적으로 표현하는 방법을 제시한다.

E-R 모델은 데이터를 개체 집합, 관계 집합, 애트리뷰트로 기술한다.

3.2.1 개체 집합과 애트리뷰트

E-R 모델을 나타내는 기본 객체는 개체다. 개체는 실세계에서 독립적으로 존재하는 실체이다. 개체는 이름과 애트리뷰트로 정의되고 특정 개체타입에 대한 인스턴스 집합을 가리켜서 개체집합이라고 한다. 개체는 학교, 도서관, 비행기, 학생과 같이 실제로 존재하는 객체이거나 강좌, 직업, 주문, 판매와 같이 개념적으로 존재하는 객체이다. 각 개체는 그 개체를 기술하는 속성, 즉 애트리뷰트들을 가지며, 애트리뷰트들 중 일부 집합은 개체를 고유하게 구별하기도 한다. 예를 들면, 학생 개체는 학생이름, 학번, 성별, 나이, 수강과목에 의해 기술된다. [그림3-1]과 같이 열(column)의 이름이 애트리뷰트이고, 이들 애트리뷰트들의 행(row)을 개체유형 혹은

투플(tuple)이라고 하며, 특정한 학생 한 사람의 투플을 개체 인스턴스라고 한다. 실제 학생들의 데이터인 0952005번부터 0934051번까지 의 모든 개체들을 개체 집합 또는 테이블이라고 한다. 데이터베이스 시스템에서 사용자가 질의어를 작성하여 원하는 데이터를 검색하는 경우 검색 대상이 바로 테이블형태로 저장된 데이터들이다.

학번	학생명	학과명	학년	주소				전화
				시	구	동	번지	
0952005	정민용	디지털콘텐츠학과	3	순천	-	백운	234	010-547-8547
0952015	김설화	디지털콘텐츠학과	2	광주	남	진월	12	010-124-8547
0921746	이승희	법학과	2	나주	-	대호	64	016-847-5621
0934051	최종혁	경영학과	4	광주	동	송정	36	019-347-8945

그림3-1 학생 개체집합

[그림3-1]에서 보면 학생, 학생명, 학과명 등은 애트리뷰트이고, '정민용' 개체에 대한 데이터 0952005, 정민용, 디지털콘텐츠학과, 3, 순천시 백운동 234번지, 010-547-8547을 투플이라고 한다. 애트리뷰트 가운데 다른 개체들과 구별하기 위한 유일성을 갖는 하나가 존재해야 한다. 우리는 그것을 기본키라고 하여 테이블 검색을 할 때 사용한다. 학생 개체집합에서 기본키는 학번 애트리뷰트이다.

애트리뷰트의 유형에는 다음과 같이 여러 가지가 있다.

(1) 복합(composite) 애트리뷰트와 단순(simple) 애트리뷰트

개체를 구성하는 애트리뷰트가 한 가지 속성을 표현하면 단순 애트리뷰트, 한 가지 이상의 속성을 나타내면서 분류가 가능하면 복합 애트리뷰트라고 한다. [그림3-1]에서 처럼 학년이나 전화 애트리뷰트는 한 가지를 표현하므로 단순 애트리뷰트이다.

주소 애트리뷰트를 살펴보자. 학생들한테 우편물을 발송하는 경우는 주소(시,

구, 동, 번지)를 한꺼번에 사용하게 되므로 이때는 단순 애트리뷰트라 할 수 있다. 다른 경우를 생각해보자. 학교에서 스쿨버스 노선을 변경하기 위해 학생들의 주소를 파악한다고 하자. 이 경우에는 '동'에 대한 데이터만 필요할 것이다. 그렇다면 주소 전체가 아닌 부분 데이터만 필요하게 되는 것이다. 이때는 주소 애트리뷰트는 시, 구, 동, 번지 애트리뷰트로 구성된 복합 애트리뷰트로 보고 '동'이라는 단순 애트리뷰트만 사용하면 되는 것이다.

학교의 수강신청 데이터베이스 시스템을 예로 들어보자. 교수들과 학생들은 과목이라는 개체로 연관이 지어질 수 있다. 과목이라는 개체는 많은 애트리뷰트를 갖을 수 있고 그 가운데 출석부를 생각해보자. 출석부라는 애트리뷰트 가출석이나 성적에 관한 결과만을 산출하는 경우에는 단순 애트리뷰트라 할 수 있다. 하지만, 그 과목을 수강하는 학생을 현역과 예비역로 구분하여 성적을 산출하고자 할 때 출석부를 구성하는 요소 가운데 학번을 별도로 사용한다면 이 경우는 복합애트리뷰트라 할 수 있다.

같은 애트리뷰트라 해도 상황에 따라 복합 애트리뷰트가 되기도 하고, 단순 애트리뷰트가 될 수도 있다는 것을 알 수 있다.

(2) 단일값(single-valued) 애트리뷰트와 다중값(multi-valued) 애트리뷰트

애트리뷰트는 특정 개체에 대하여 하나의 값만을 가진다. [그림3-1]에서 처럼 학번은 오직 하나로 배정되고, 학년도 오직 하나로 지정된다. 모두 단일값 애트리뷰트라 할 수 있다. 전화 애트리뷰트를 생각해보자. 휴대전화 번호라고 가정하면 학생에 따라서 2개 이상을 가지고 다닐 수도 있는 것이다. 이같이 하나의 애트리뷰트가 여러 개의 값을 가질 수 있을 때 이를 다중값 애트리뷰트라 한다.

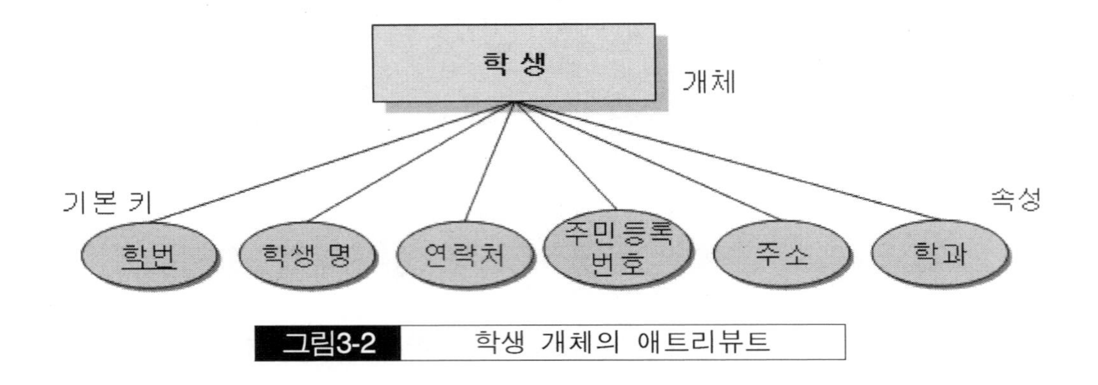

그림3-2 학생 개체의 애트리뷰트

(3) 유도(derived) 애트리뷰트와 저장(stored) 애트리뷰트

유도 애트리뷰트는 다른 관련된 애트리뷰트들이나 객체들의 값들로부터 유도될 수 있는 것이다. 예를 들면, 은행 업무 관련 고객 개체집합을 생각해보자. '대출횟수' 애트리뷰트의 이 고객의 대출 개체집합을 참고하면 값을 산출할 수 있다. 이때 '대출횟수' 애트리뷰트를 유도 애트리뷰트라 부른다.

고객 개체집합에서 '나이'와 '생년월일' 애트리뷰트를 생각해보자. '생년월일' 애트리뷰트는 현재날짜와 결합하면 고객의 '나이'를 산출할 수 있다. 따라서 '나이' 애트리뷰트는 유도 애트리뷰트라 할 수 있다. 이 경우에 '생년월일' 애트리뷰트를 기본(based) 애트리뷰트 혹은 저장(stored) 애트리뷰트라 부른다.

(4) 널(null) 애트리뷰트

애트리뷰트는 개체가 그 애트리뷰트 값을 가지지 않을 때 널 값을 갖는다. "해당사항 없음"을 표시 하는 것은 값이 존재하지 않는 경우를 말한다. 널 값은 그 애트리뷰트의 값이 알려지지 않았음을 표시하기도 한다. 알려지지 않은 값은 누락된 값일 수도 있고, 모르는 값일 수도 있다. [그림3-1]에서 전화 애트리뷰트를 생각해보자. 학생이 휴대전화가 없을 수도 있고 아니면 일시적으로 휴대전화를 분실하여 없는 경우도 있다. 이를 널 애트리뷰트라 부른다.

3.2.2 관계 집합

개체집합들 사이의 대응성을 표현한다. 개체들 간의 관련성을 표현하는 형태로 시스템의 처리 범위에 따라서 같은 개체라도 다른 관계 집합을 형성할 수 있다. 학교 수강신청 시스템을 예로 들면 학생, 교수, 직원 등의 개체가 존재하고, 그 개체들 간의 관계가 이루어짐을 알 수 있다. 학생은 교수와 과목이라는 관계를 가질 수 있고, 과목과는 등록이라는 관계가 형성됨을 알 수 있다.

다양한 관계를 분류하는 기준은 개체에 소속되는 원소의 수에 있다. 두 개의 개체 X와 Y의 관계는 [그림3-3]과 같이 개체에 소속된 원소의 수에 따라서 4가지로 분류할 수 있다. 관계의 유형은 개수로 표현한다. 개체간의 사상 원소수가 일대일(1:1), 일대다(1:n), 다대일(n:1), 다대다(n:m) 인 경우를 구분하여 관계를 연결하는 링크와 함께 기술한다.

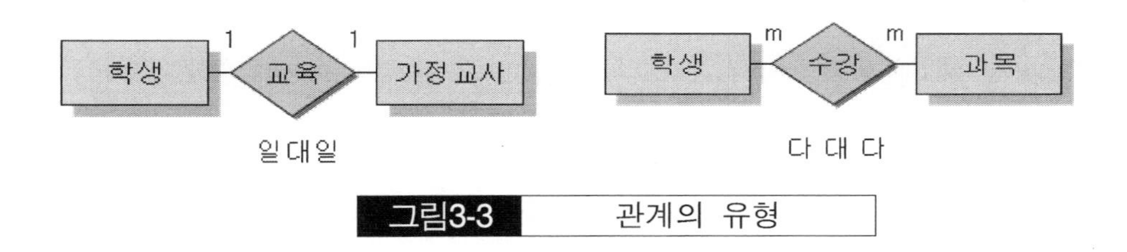

그림3-3 관계의 유형

(1) 일대일
과외의 경우를 보면 과외 선생이 한 학생을 일대일로 가르치는 것이다. 일대일의 관계가 성립한다.

(2) 일대다
학교의 경우를 보면 교수가 여러 명의 학생들을 가르치므로 일대다의 관계가 성립한다.

(3) 다대일
여러 과목의 과외 선생이 한 학생을 가르친다고 하면 다대일의 관계가 성립한다.

(4) 다대다

대학의 경우 수강 신청을 생각해보자. 여러 학생들이 여러 과목을 수강 신청하여 수업을 들을 수 있다. 고등학교의 경우도 마찬가지다. 여러 명의 교사가 여러 학생들을 가르치므로 다대다의 관계가 성립한다.

참여 제약조건(constraint)은 한 개체의 존재가 관계을 통해 연관되어 있는 다른 개체에 의존하는 지의 여부를 명시한다. 참여 제약조건에는 부분참여와 전체참여가 있다.

(1) 전체관계(total participation)

대학에서 모든 교수들은 한 학과에 소속이 되어야 한다는 방침이라면 한 교수 개체는 그것이 적어도 하나의 학과 관계 인스턴스에 참여할 때만 존재할 수 있다. 따라서 '교수'가 '학과'에 참여하는 것을 전체 참여라고 한다. '교수' 개체들의 '전체집합'에 속하는 모든 개체가 반드시 '학과'에 의해서 한 학과와 연관되어야 한다는 것을 의미한다.

(2) 부분관계(partial participation)

대학에서 교수와 학과의 관계를 생각해보자. 모든 교수가 한 학과업무를 관리하는 것이 아니므로 교수가 학과업무 관계에 참여하는 것이 부분참여라 할 수 있다.

(3) 존재종속(existence dependence)

개체 y의 존재가 개체 x에 의존한다면 개체 y는 개체 x에 존재종속 한다고 한다. 개체 x가 삭제된다면 개체 y의 존재가 무의미 하다는 제약이 된다. 이 때 개체 x를 주 개체(dominant entity)라 하고, 개체 y를 종속 개체(subordinate entity)라 한다. [그림3-4]는 존재 종속의 관계가 있는 개체들을 표현한 것이다. 대부 개체와 상환 개체를 생각해보자. 상환 개체는 대부가 없어지면 존재가 무의미하다. 대부를 해결한다면 그 대부에 대한 상환도 없어지게 되는 것이다. 주 개체가 대부개체이고, 종속 개체가 상환 개체가 되는 것이다.

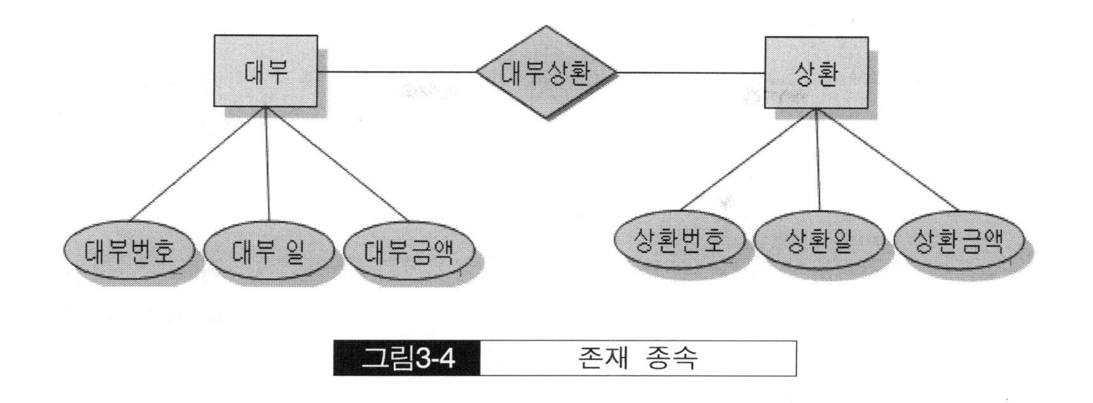

그림3-4 존재 종속

3.3 E-R 다이어그램

E-R 데이터 모델은 실세계를 개체라 불리는 기본 객체들과 그 객체들 사이의 관계로 인식한다. E-R 모델은 실세계의 조직의 의미와 상호작용을 개념적 스키마로 나타내는 데 유용하다. 두 가지 종류를 갖는다.

(1) 개념적 데이터 모델

속성들로 기술한 개체 집합과 이 개체 집합들 간의 관계를 표현한 것으로 개체-관계 모델(E-R)이 가장 대표적이다.

(2) 논리적 데이터 모델

데이터 항목으로 기술한 데이터 타입과 이 데이터 타입들 간의 관계를 표현한 것이다.

데이터 모델은 추상적으로 표현된 데이터 구조로 이것을 허용 가능한 연산(operation)과 이 구조와 연산에서의 제약 조건(constraint)이 필수조건이다. 스키마의 골격을 잡는다. 작성된 스키마를 골격 스키마라고 한다. 요구사항 분석 시 결정된 주요 개념이 골격 스키마의 E-R 모델의 개체가 되도록 한다. 개체가 선택되면 그 개체를 중심으로 관계성을 부여한다. 요구사항에서 명시된 모든 기능들을 표현하기 위해 스키마를 보완 한다. 스키마가 완전히 다듬어지면 나머지 애트리뷰트, 키정의 등을 첨가해서 개념 스키마를 완성한다.

E-R 모델은 계층 모델, 망 모델, 관계 모델에 이어 뒤늦게 고안되었고 이를 그래픽 방식으로 표현한 것이 E-R 다이어그램이다.

개체, 관계, 링크, 속성에 대한 자세한 설명을 추가한다. 개체는 직사각형 모형으로 주체가 되는 것을 배정한다. 관계는 마름모형태로 개체들간의 연관성을 표현한다. 개체와 관계를 연결하는 경우에는 링크라 하여 방향성 화살표로 표시하고 링크 위에 대응수(1:1, 1:n, n:1, m:n)를 표기한다. 개체를 구성하고 있는 애트립뷰트는 타원형으로 표시하는데 복합 애트리뷰트인 경우에는 두겹 타원형으로 표시한다. 다음은 E-R 다이어그램의 표기법을 나타낸다.

기호	의미
	개체
	관계
N : M	링크
	속성

그림3-5 E-R 다이어그램 표기법

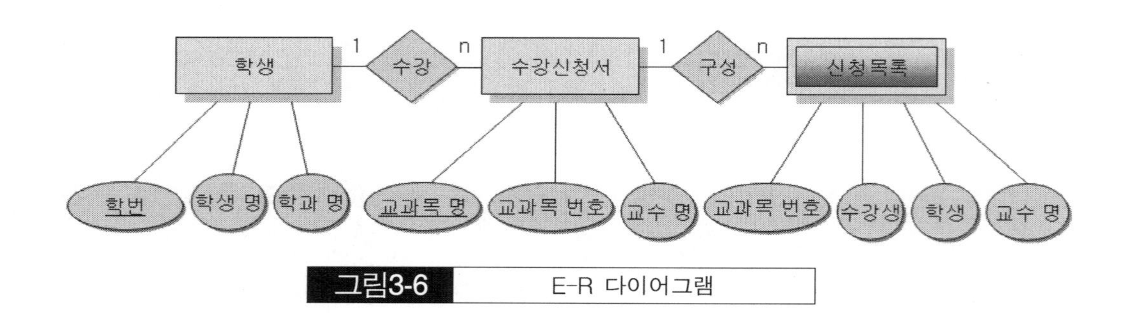

그림3-6 E-R 다이어그램

[그림3-6]에서 학번, 학생명, 학과명 등은 학생 개체의 애트리뷰트이고, 학번은 기본

키이다. 수강 신청서 개체는 교과목번호, 교과목명, 학점, 시간 등의 애트리뷰트들로 구성되며, 교과목번호는 특정한 개체를 식별할 수 있는 기본 키이다. 수강과목은 학생이 수강 신청한 구체적인 과목들에 대한 정보인 과목분야, 수강생, 담당교수 등을 기억한다. 수강과목 개체는 기본 키가 없으므로 약 개체이다. 두 개의 개체를 연결하는 직선은 학생과 수강 신청서와의 관계가 다대다 관계임을 의미한다. 또한 수강 신청과 수강과목 간의 관계는 일대다 관계임을 의미한다.

사각형 : 개체(파일처리에서의 레코드)
마름모꼴 : 관계
타원 : 속성(attribute)
밑줄 : 기본 키
—— : 개체의 속성 관계

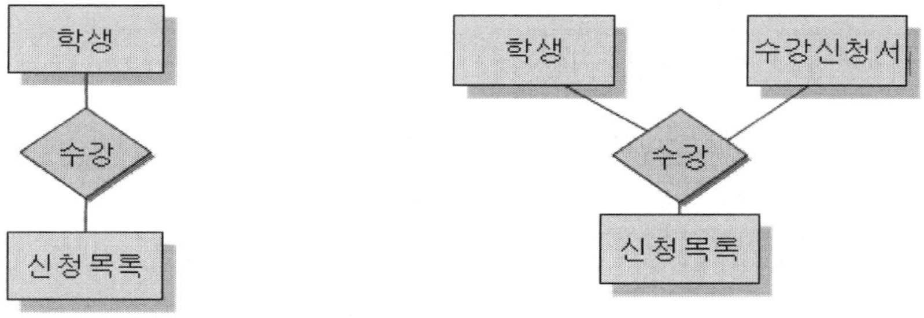

(a)2진 관계 (b)3진 관계

그림3-7 여러 차수의 관계

[그림3-7]과 같이 E-R 다이어그램의 여러 차수를 표현해본다. 2진 관계와 3진 관계에 대해서도 알아본다. 이것을 차수(degree)라고 하는데 차수란 관계에 관련된 개체의 수를 의미한다.

연습문제 EXERCISES

3.1 E-R 다이어그램에서 관계의 유형을 예를 들어 설명하시오.

3.2 복합 애트리뷰트와 단순 애트리뷰트에 대해서 예를 들어 설명하시오.

3.3 E-R 다이어그램의 구성요소를 설명하시오.

3.4 개체간의 존재 종속관계를 예를 들어 설명하시오.

3.5 기본 키와 외래 키에 대해서 예를 들어 설명하시오.

4장. 관계데이터 구조

4.1 릴레이션

관계 데이터베이스에서 데이터를 표현하는 방법으로 테이블을 사용한다. 이를 가리켜서 릴레이션이라 한다. 관계데이터구조에서 사용되는 용어에 대한 정의를 설명한다. 도메인(domain)은 애트리뷰트가 취할 수 있는 값(value)들의 집합이고, 애트리뷰트(attribute)는 도메인의 역할 이름이다. 애트리뷰트 이름들은 모두 다르게 정의해야 한다. 하나의 개체에 대한 모든 속성을 튜플이라고 한다. 튜플은 다른 투플들과 구별되도록 다르게 정의되어야 하고, 투플내의 각 값은 원자값을 갖는다. 도메인의 종류에는 단순 도메인(simple domain)과 복합 도메인(composite domain)으로 나누는데 전자는 원자값을 후자는 복합값을 표현한다. [그림4-1]에서 테이블과 릴레이션의 차이점을 정리해본다.

테이블(table)	릴레이션(relation)
열(column)	애트리뷰트(attribute)
행(row)	튜플(tuple)
같은 행이 있을 수 있다.	모든 튜플은 반드시 다르다.
행의 순서가 있을 수 있다.	튜플은 순서기 없다.
열은 복합열이 있을 수 있다	모든 애트리뷰트는 원자값을 갖는다

그림4-1 테이블과 릴레이션의 차이점

학번	이름	학과	성별	학년	지도교수	연락처
81	보라미	법학과	남	1	김현재	348-4556
92	미라미	사학과	남	2	김상수	401-2341
73	이원지	회계학과	남	3	이진철	382-3452
85	김철원	법학과	남	2	박상현	457-6548
74	박한솔	사학과	여	4	최신자	348-4867
79	소리샘	회계학과	남	3	박남영	391-6123
41	남동하	사학과	남	4	정철민	280-7123
83	조미미	사학과	여	3	장하나	367-4987
30	한아름	회계학과	남	3	김도영	200-1234
80	김인식	법학과	여	2	장윤정	373-4872
50	김춘숙	사학과	여	1	나미자	413-6123

그림4-2 학생 릴레이션의 예

[그림4-2]에서 릴레이션의 예를 보여준다. 학번이라는 이름을 가진 필드의 도메인 이름은 문자열(string)이라는 것을 보여주고, 도메인 문자열에 관련된 값의 집합은 모든 가능한 문자열의 집합이다.

릴레이션 인스턴스를 생각해보자. 릴레이션 인스턴스는 레코드(record)라고도 하는 투플의 집합이며, 각 투플의 릴레이션 스키마에서 정의된 바에 따라 동일한 수의 필드로 구성된다. [그림4-2]에서 보여준 학생 릴레이션에 대한 인스턴스는 여러 개가 있을 수 있다.

어떤 릴레이션 인스턴스의 카디널리티(cardinality:원소의 수)는 그 안에 잇는 투플들의 수이고, 릴레이션의 차수(degree)는 필드의 수이다. [그림4-2]에서 학생 릴레이션의 차수(열의 수)는 5이고, 인스턴스의 카디널리티(투플의 수)는 9이다.

릴레이션은 다음 3가지의 특징을 가지고 있다.

(1) 투플의 유일성

릴레이션은 서로 다른 투플들의 "집합"으로 다른 투플들과 구별할 수 있도록 유일한 값을 가져야 한다. 동일한 투플이 발생할 경우 저장된 데이터에서 찾고자 하는 데이터를 못 찾을 수도 있다.

(2) 투플들의 무순서

릴레이션은 순서에 상관없이 작성할 수 있다. 추상적 개념에서 정의한 명칭으로 우리들이 자주 표현하는 테이블은 순서가 있을 수 있다.

(3) 애트리뷰트들의 무순서

애트리뷰트들도 순서에 상관없이 작성할 수 있다.

4.2 무결성 제약조건

무결성은 결점이 없는 성질을 말하며 가능한 한 결점을 최소화하고자 규칙이나 제약 조건을 부여하여 자체적인 결점을 줄이려는 노력이다. 무결성 제약조건(integrity constraint)은 데이터베이스 스키마에 명세되어 있는 조건으로서 데이터베이스의 인스턴스에 저장될 수 있는 데이터를 제한한다. DBMS는 무결성 제약조건들을 집행함으로 데이터베이스에 적법한 인스턴스들만 저장될 수 있도록 한다. 무결성은 결점이 없는 성질을 말하며 가능한 한 결점을 최소화하고자 규칙이나 제약 조건을 부여하여 자체적인 결점을 줄이려는 노력이다. 관계 모델에서 개체 무결성 제약 조건과 참조 무결성 제약 조건에 대해 알아보기로 한다.

키 제약조건이란 릴레이션에 속한 필드들의 어떠한 최소 부분집합이 각 투플에 대한 고유한 식별자가 된다는 것이다. 기본 키(primary key)는 관계 모델내에서 여러 개 투플이 유일성을 갖도록 하는 키이다. 학생 릴레이션을 보면 학생들한테 유일성을 갖게 하는 학번이 기본 키라고 할 수 있다. 개체들을 서로 구별하기 위해 각 개체 집합에 수퍼 키(super key)를 지정한다. 수퍼 키는 한 개 이상의 애트리뷰트로 구성되는데 이 애트리뷰트들은 함께 그 개체 집합 속의 각 개체를 유일하게 지정한다.

최소의 수퍼 키를 후보 키(candidate key)라고 불린다. 학생 릴레이션에서 학번이 기본 키이고, {학번, 이름} 집합은 후보 키라고 할 수 있다. 외래 키(foreign key)는 현재 데이터베이스에서는 기본 키로 사용되지 않으나 다른 데이터베이스를 사용할 때 기본 키로 작용하는 하나의 애트리뷰트를 가리킨다.

외래 키 예제
수강 릴레이션 : (과목명, 성적, *학번*)
학생 릴레이션 : (*학번*, 학생명, 학과, 학년)

수강 릴레이션은 과목명이 기본 키이고, 학생 릴레이션은 학번이 기본 키이다. 학생 릴레이션에서는 기본 키로 학번을 사용하고, 수강 릴레이션에서는 기본 키는 과목명이지만 수강 신청한 학생을 구별하기 위한 학번이 포함된다. 수강 릴레이션의 학번이 외래 키가 되는 것이다.

(1) 개체 무결성 제약 조건

한 릴리에션의 기본 키를 구성하는 속성의 어떤 값도 널 값(null value)일 수 없다는 제약조건이다. 기본 키 값이 널 값이면 식별할 수 없는 투플이 발생하게 되기 때문이다. 애트리뷰트의 도메인과 관련하여 확실히 규정할 수 있는 무결성 제약 조건을 정의할 수 있다.

(2) 참조 무결성 제약 조건

릴레이션 R1이 어떤 릴레이션 키의 값은 R2의 어떤 투플에 있는 기본 키의 값과 같거나 아니면 완전한 널 값이어야 한다는 제약조건이다. 두 릴레이션 간 투플 사이에 일관성을 유지하기 위한 제약조건으로서 한 릴레이션 R2 내에 있는 투플이 다른 릴레이션 R1에 있는 투플을 참조할 때는 참조되는 이 투플이 반드시 그 릴레이션 R1내에 존재해야 한다는 제약조건이다.

(3) 무결성 제약조건의 수행

학생과 수강 릴레이션을 가지고 무결성 제약조건을 수행시켜 보도록 하자. 수강 릴레이션의 학번 애트리뷰트는 학생 릴레이션의 기본 키 학번을 참조한다는 외래 키 제약조건이 있는 상황에서 참조 무결성 제약조건에 대해서 수행시켜보자.

학생 릴레이션에는 없는 학번 값을 가진 수강 릴레이션의 투플이 삽입 될 때는 INSERT 명령어를 거부하면 어떤 데이터도 삽입될 수 없다. 다음은 학생 릴레이션에서 하나의 투플이 삭제된 경우에 대한 몇 가지 수행 방법을 생각해본다. 첫 번째, 삭제될 학생 투플을 참조하는 모든 수강 투플들을 삭제한다. 두 번째, 어떤 수강 투플에 의해서 참조되고 있다면 그 학생 투플을 삭제할 수 없도록 한다. 세 번째, 삭제되는 학생 투플을 참조하고 있는 모든 수강 투플에 대해서 학번 필드의 값을 어떤 '묵시적인' 학생의 학번으로 설정한다.

4.3 관계대수

데이터베이스에 주어진 릴레이션으로부터 어떤 요구되는 릴레이션을 만들기 위해 실제로 사용할 수 있는 조인, 합집합, 프로젝션 같은 명백한 연산집합을 제공한다. 릴레이션을 처리하기 위한 연산자의 집합으로 연산한 결과도 릴레이션으로 표현된다. 관계 대수는 두 그룹의 연산자로 구성된다.

- 일반 집합 연산자

  합집합(union), 교집합(intersection), 차집합(difference), 카티션 프로덕션(cartesian product) 등이 있는데 관계 대수에서는 이들의 피연산자가 모두 릴레이션이 된다.

- 순수 관계 연산자

  릴레이션에만 적용하는 연산자로 셀렉션(selection), 프로젝션(projection), 조인(join), 디비전(division) 등의 연산자가 있다.

구분	연산자	기호	의미
관계 연산자	프로젝트	Π	릴레이션의 수직적 부분집합
	셀렉트	σ	릴레이션의 수평적 부분집합
	조인	⋈	두 릴레이션의 수평적 합집합
집합 연산자	합집합	∪	R ∪ S = {t| t∈R ∪ t∈S }
	교집합	∩	R ∩ S = {t| t∈R ∩ t∈S }
	차집합	-	R - S = {t| t∈R - t∉S }
	카티션 프로덕트	×	R × S = {r • s| t∈R ∩ s∈S }

그림4-3 관계 대수 연산자

(1) 프로젝션(projection)

프로젝션으로 만들어진 결과 릴레이션은 프로젝션에 명시된 애트리뷰트 리스트의 값들로만 된 투플을 포함한다. 프로젝션은 릴레이션의 수직된 부분집합이다. 결과 릴레이션 생성 과정에서 똑같은 투플이 중복되게 생성되면 시스템은 그 중 하나만 제외아고 나머지는 모두 제거한다. 프로젝션 연산의 애트리뷰트 리스트에는 애트리뷰트들을 중복되게 명세할 수 없다.

(2) 셀렉션(selection)

셀렉션은 릴레이션에서 프레디킷 (predicate)을 만족하는 튜플로 된 릴레이션을 결과로 생성한다. 결과 릴레이션은 주어진 릴레이션의 투플 일부로 구성되므로 셀렉션은 수평적 부분집합을 생성하게 된다. 셀렉션 연산은 단일 연산자이다. 하나의 릴레이션에만 적용될 뿐 둘 이상의 릴레이션에는 적용될 수 없다. 셀렉션 연산자는 각 투플에 개별적으로 적용한다. 셀렉션의 결과로 나온 투플의 수는 피연산자의 투플 수보다 적거나 같게 된다.

(3) 조인(join)

결과 릴레이션의 각 애트리뷰트는 유일하여야 되는데, 보통 원소속 릴레이션의 이름을 애트리뷰트 앞에 붙여 유일하게 만든다. 두 가지 종류로 나누어진다.

- 이퀴 조인 (equi-join)
  대응되는 두 개의 애트리뷰트 값이 같은 것만 선택하여 새로운 테이블을 구성하고 두 개의 테이블에서 애트리뷰트 이 동일한 것을 비교하여 연산하는조인이다.
- 자연 조인(natural-join)
  이퀴 조인은 조인의 정의에 따라 공통 애트리뷰트가 결과 릴레이션에 중복되어 나타나게 된다. 이때 중복되는 에트리뷰트 중 하나를 제거한 것을 자연조인 이라고 한다. 일반적으로 조인이라고 하면 자연조인을 말한다.

(4) 합집합(union)

합병 가능한 두 릴레이션 R과 S의 교집합 R∩S는 R과 S에 공통인, 즉 릴레이션에 투플 t로 구성되는 릴레이션으로서, 수학적 기호로 나타내면 다음과 같다.

$$R \cup S = \{t \mid t \in R \cup t \in S\}$$

합집합으로 만들어진 결과 릴레이션은 R이나 S의 차수와 같고 중복이 제거되므로 카디널리티 |R ∪ S|는 릴레이션 R과 S의 카디널리티(투플의 개수)의 합 보다 크지 않다. 두 릴레이션 내의 투플들 간의 순서는 없다. 결과 릴레이션의 투플 간의 순서도 보다 편하게 하기 위하여 순서대로 쓴 것일 뿐 실제 저장되는 순서와는 다르다.

(5) 교집합(intersection)

합병 가능한 두 릴레이션 R과 S의 교집합 |R ∩ S|는 R과 S에 공통인, 즉 릴레이션에 동시에 속해 있는 투플 t로 구성되는 릴레이션으로서 수학적 기호로 나타내면 다음과 같다 교집합으로 만들어지는 결과 릴레이션의 차수는 합집합의 경우와 같이 R이나 S의 차수와 같지만 카디널리티 |R ∩ S|는 |S|보다 크지 않고, |R|보다도 크지 않다

$$R \cap S = \{t \mid t \in R \cap t \in S\}$$

(6) 차집합(difference)

합병가능한 두 릴레이션 R과 S의 차집합 |R - S|은 릴레이션 R에는 있지만 S에는 없는 투플 t로 구성되는 릴레이션으로서 수학적 기호로 나타내면 다음과 같다

$$R - S = \{t \mid t \in R - t \notin S\}$$

만들어지는 결과 릴레이션의 차수는 R이나 S 와 같지만 카디널리티 |R - S|는 R보다 크지 않다.

(7) 카티션 프로젝트

카디션 프로덕트의 결과로 생성된 릴레이션의 차수는 릴레이션 R의 차수와 의 차수의 합과 같고, 각 애트리뷰트는 R•A1, R•A2, R•A3,…… , R•B1, R•B2, ……로 표기한다. |R × S|의 카디널리티는 두 릴레이션의 카디널리티를 곱한 것과 같다.

$$R \times S = \{r \bullet s \mid t \in R \cap s \in S\}$$

4.4 관계해석

단순히 주어진 릴레이션에 의하여 요구되는 릴레이션의 정의를 형식화하기 위한 표기법을 제공한다. 두 가지 종류로 분류된다.

(1) 투플 지향 관계 해석

간단히 투플 해석이라고 한다. 릴레이션에 대한 연산을 투플 해석식으로 명세하여 정의하고 사용자의 의도를 표현할 수 있다. 투플변수는 항상 지정된 릴레이션의 한 투플을 값으로 취하는 변수이다.

(2) 도메인 지향 관계 해석

간단히 도메인 해석이라고도 한다. 사용자의 의도를 도메인 해석식으로 표현하는 방법으로 투플과 그 기본골격은 같고 투플 대신 도메인 변수를 사용한다. 도메인 변수는 항상 지정된 도메인의 한 원소값으로 취하는 변수이다.

연습문제 EXERCISES

4.1 테이블과 릴레이션의 차이점을 비교 설명하시오

4.2 무결성 제약조건에 대해서 설명하시오.

4.3 릴레이션이 가져야 하는 세 가지 특징을 기술하시오.

4.4 수퍼 키(super key)와 후보 키(candidate key)에 대해서 설명하시오.

4.5 카디널리티(cardinality)에 대해서 설명하시오.

5장. 분산/멀티미디어/객체 데이터베이스시스템

5.1 분산 데이터베이스시스템

분산 처리 시스템은 시스템 안에 있는 파일, 처리능력, 하드웨어 등의 자원을 통신망을 매체로 공유하도록 지원한다. 부하 분담(load sharing)을 통하여 연산을 분산처리하는 방식을 사용한다. 속도를 향상시키고 시스템을 효율적으로 이용하기 위한 방법이다.

분산 데이터베이스 시스템이란 시스템이 필요로 하는 자료가 통신망 내에 서로 다른 컴퓨터에 분산되어 있는 시스템을 일컫는다. 통신망 안에 있는 각 사이트는 지역적 자료를 이용한 작업을 자체적으로 수행할 수 있으며 통신망을 통해 여러 사이트에 저장된 자료를 액세스하는 전역 작업에 참여하기도 한다.

분산형 데이터베이스의 특징은 다음과 같다. 첫 번째, 자원의 공유다. 분산 시스템 내에 있는 자원은 분산 은폐성(distribution transparency)에 의해서 네트워크 안에 있는 자원을 마치 자신의 사이트에 있는 자원처럼 액세스할 수 있다. 두 번째, 처리 효율의 향상이다. 분산 시스템 내에 많은 수의 사이트가 참여하는 전역 작업이 있을 때 연산 처리가 병렬화되므로 중앙 집중형보다 빠른 시간 안에 결과를 얻을 수 있다. 세 번째, 신뢰성향상이다. 중앙 집중형 시스템에서 중앙 시스템의 고장은 전체 시스템의 서비스 불가로 이어진다. 분산 시스템의 한 사이트 고장은 전체 시스템의 일부 기능 장애에 그치게 된다.

5.1.1 집중형과 분산형 데이터베이스의 비교

집중형과 분산형 데이터베이스의 차이점에 대해서 알아본다. 분산 데이터베이스과 집중형 데이터베이스와 다르게 관리되어야 하는 이유는 단순한 자료의 지역적 분산 관리가 아닌 분산된 자료간의 논리적 연계성 때문이다. 분산된 자료를 관리하기 위한 데이터베이스 관리 시스템의 기능은 개념적 스키마(conceptual schema)를 이용하여 데이터의 실제 구조와 응용 프로그램간의 독립성을 제공하고, 시스템 안에 있는 자료의 이름만 지정하면 자료의 위치에 상관없이 액세스가 가능한 분산 은폐성(distribution transparency)을 지원한다. 데이터베이스에서 무결성, 동시성 제어(concurrency control)등을 지원하는 트랜잭션(transaction) 처리가 가능하다.

분산형 데이터베이스는 다음과 같은 이유로 필요하다. 첫 번째, 조직의 크기가 커지면서 분산되는 경향이 생겼다. 두 번째, 기존의 소규모 조직간의 협력과 교류등에서 분산 형태의 가상 조직이 생성하였다. 세 번째, 지역적으로 한 곳에 위치한 중앙 센터형 데이터베이스는 이러한 조직을 운영하기에 비효율적이기 때문에 분산 데이터베이스가 필요하다.

분산 시스템의 설계가 시스템의 변경에 유리하고, 분산 시스템은 조직 구조 변화에 유동적으로 대처가 가능하고, 분산 시스템에서 각 사이트는 자치성(autonomy)를 통해서 지역적 문제를 자체적으로 해결하려고 한다. 자치성이란 지역 데이터베이스가 분산 시스템에 사용되더라도 기존의 데이터 모델, 관리 결정사항, 응용 프로그램들을 수정할 필요가 없기 때문에 통신 비용의 절감을 가져올 수 있다는 것이다.

5.1.2 분산 데이터베이스 관리 시스템의 기능

분산 데이터베이스 관리 시스템의 기능을 알아본다. 첫 번째, 분산 시스템의 가장 기본적인 기능인 사용자 작성한 응용프로그램을 통한 원거리 데이터베이스 엑세스 기능이 있다. 두 번째, 분산 시스템의 핵심 기능이면서 시스템의 성능을 좌우하는 중요한 척도이기도 한 분산된 데이터의 은폐성 기능이 있다. 사용자에게 많은 은폐성을 지원할수록 시스템의 관리 편의성은 증가하나 성능은 감소하는 경향이 있다. 세 번째, 분산된 데이터베이스를 운영하는 도구를 제공함으로써 사용자가 이 도구를 이용하여 분산된 자료를 자신의 사이트에 있는 자료처럼 자유롭게 액세스 할 수 있도록 한다. 네 번째, 데이터베이스 관리를 위한 필수적인 기능인 트랜잭션에 대한 일관성유지, 회복, 동시성, 제어 등의 기능을 제공한다.

5.1.3 분산 데이터베이스 관리 시스템의 구조

분산 데이터베이스 관리 시스템은 기존 지역 데이터베이스 관리 시스템의 상위 위치에서 동작한다. 사용자와 지역 데이터베이스 관리 시스템 사이에서 지역 데이터베이스에 없는 광역 자료에 관한 원거리 검색, 갱과 갱신을 수행한다. 전체 시스템으로부터 들어오는 외부의 요청과 시스템 관리 정보를 이용하여 자신의 지역 데이터베이스를 유지한다. 지역 데이터베이스 관리 시스템과는 독립적으로 동작하여 이형(heterogeneous)시스템 간의 연결을 가능하게 해 준다. [그림5-1]은 분산 데이터베이스 관리 시스템의 구조를 보여주고 있다.

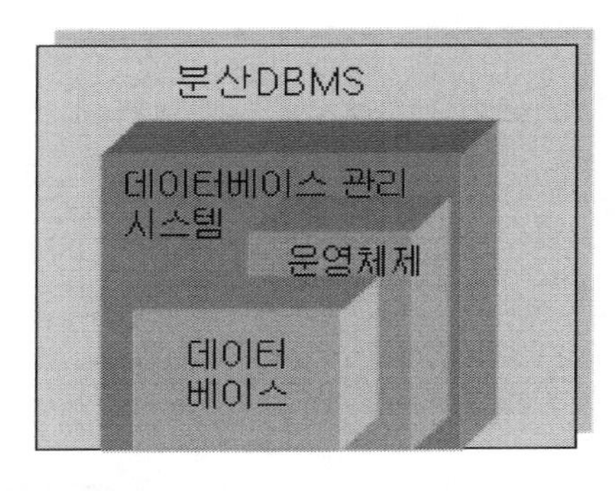

그림5-1 분산 DBMS의 구조

5.2 분산 은폐성과 데이터분할

분산 은폐성이란 분산 DBMS에서 자료가 분산된 상태와 사용자의 응용 프로그램과는 서로 무관해야 하는 성질이다. 분산 은폐성은 시스템이 운영 중에 자료의 보관 위치와 분산 상태를 바꾸더라도 사용자는 이와 무관하게 시스템을 사용할 수 있게 해야 한다는 것이다.

5.2.1 분산 데이터베이스 계층 참조 구조

논리적 자료에서 각 사이트에 분산된 실제 물리적인 자료를 계층적으로 정의하는 구조를 가지고 있다.

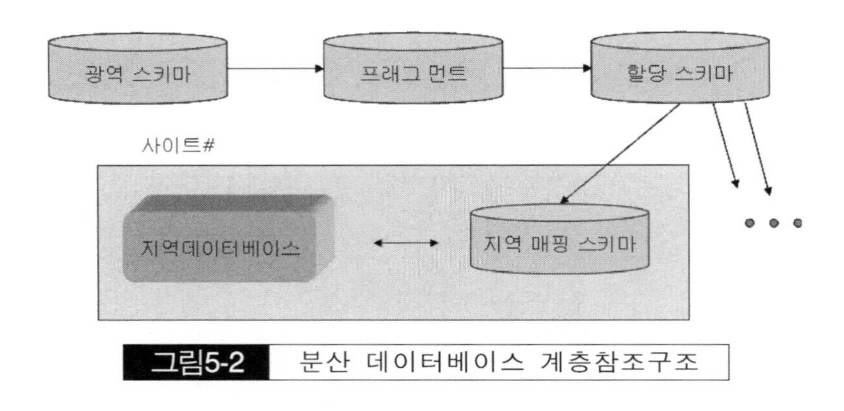

그림5-2 분산 데이터베이스 계층참조구조

5.2.2 분산 데이터베이스의 데이터 분할

분산 데이터베이스의 데이터 분할을 하기 위해서는 다음과 같이 세 가지 조건이 필요하다. 첫 번째, 완전성 조건이다. 전역 릴레이션에 속하는 모든 자료는 반드시 분할로 대응하여야하고, 전역 릴레이션의 모든 자료는 분할에 의하여 소실되어서는 안된다는 것이다. 두 번째, 재구성 조건이다. 분할들로부터 본래의 전역 릴레이션을 재구성할 수 있어야 하고, 재구성의 과정 중에서 본래의 전역 릴레이션의 자료가 소실되거나 불필요한 자료가 생성되어서는 안된다는 것이다. 세번째, 상호중첩 배제 조건이다. 분할 간에 서로 중첩되는 부분이 없어서 이 조건을 만족하면 자료의 중복을 할당 단계에서 제어할 수 있다.

5.2.3 분산 데이터베이스 은폐성의 단계

분산 데이터베이스 은폐성의 단계는 세 단계로 구성된다. 첫 번째, 분할 은폐성 단계이다. 사용자 입장에서 가장 바람직한 은폐성의 단계로 질의나 응용프로그램에게 분할 스키마에 대한 독립성을 지원함으로써 할당이나 지역 사상 스키마에 대한 독립성을 보장 받는다. 두 번째, 위치 은폐성 단계이다. 분할 은폐성보다 한 단계 낮은 은폐성으로 사용자에게 할당 스키마에 대한 독립성을 지원함으로써 할당 스키마 이하에 변경에 대하여 영향을 받지 않는다. 세 번째, 지역 사상 은폐성 단계이다. 사용자는 접근할 데이터베이스가 어느 사이트에 존재하는지 지정해야 접근할 시스템에서 사용되는 데이터베이스의 접근 방법과는 무관하게 자료를 사용할 수 있다.

5.3 멀티미디어 데이터베이스시스템

5.3.1 멀티미디어와 데이터베이스의 결합

(1) 멀티미디어의 개념

멀티미디어의 어원은 1989년 스티븐 잡스(Steve Jobs)가 기자회견에서 "멀티미디어"란 용어를 사용한 것으로 유래되었다. 여러 미디어 중에서 두 가지 이상을 함께 사용하는 것을 의미한다. 컴퓨터와 인간, 또는 인간과 인간 사이에 정보를 효율적으로 전달하는 방법을 고안하기 위한 것으로 여러 미디어 중에서 가장 적합한 미디어를 선택하는 기술이 관건이다.

(2) 멀티미디어 데이터베이스

멀티베이스 시스템의 구성 요건은 다음과 같다. 멀티미디어 데이터를 시스템이 지원하는 기본적인 유형의 데이터로서 공유될 수 있고, 저장, 검색, 전송 등의 연산이 가능해야 한다. 멀티미디어 데이터에 대한 구조나 특정값과 내용에 따른 다양한 형태의 참조 방법이 제공되어야 한다. 효과적인 사용자 인터페이스를 제공해야 한다. 강력한 프리젠테이션 브라우징 설비가 필요하다. 대용량 기억 장치를 활용하고 장치의 특성에 따른 성능 문제를 해결해야 한다. 멀티미디어 응용 환경에 맞는 병행 수행, 제어, 회복, 보안 기능이 제공되어야 한다.

멀티베이스를 위한 데이터 모델은 관계 데이터 모델을 기반으로 진행되고, 객체 중심 데이터 모델로 전환하는 단계라고 할 수 있다.

5.3.2 멀티미디어 데이터베이스와 MDBMS

(1) 멀티미디어 데이터의 특성

첫 번째, 시·공간적인 상관 관계의 개념을 가져야 한다. 멀티미디어 데이터는 각 구성 미디어의 특성에 따라 복잡한 공간적, 시간적인 상관 관계를 갖고, 공간

(space)은 2차원 레이아웃의 평면으로 볼 수 있으며, 해당 장치의 화면이나 윈도우 상에 표현된다. 시간(time)은 1차원 축으로 표현되며, 오디오 프리젠테이션 장치에 오디오 미디어를 표현하거나 시각적으로 순차화한 혼합 미디어를 표현할 때 사용한다.

두 번째, 원시, 서술, 등록 등의 데이터로 구성되어 있다. 원시 데이터는 텍스트, 그래픽, 이미지, 음성과 사운드, 비디오, 애니메이션 데이터 등 가장 기본적인 데이터 형태로 저장될 수 있는 것이다. 서술 데이터는 어떤 객체에 대한 정보를 좀더 자세히 설명하거나 자세한 주석문 등을 추가하고자 할 때 자연 언어 형태로 기술한다. 등록 데이터는 비정형적인 데이터의 특성과 필요한 정보를 따로 추출해 저장한 데이터이다. 구조적 데이터는 전체 스키마 구성이 어떻게 이루어져 있는가를 명시하는 데이터이다. 공학과 기술 데이터는 시스템 관리자가 장비와 설치 환경에 대한 기술적인 정보를 명시할 수 있는 데이터이다.

(2) 멀티미디어 데이터 모델

멀티미디어 데이터 모델은 다음과 같은 특징을 갖는다. 첫 번째, 다양한 미디어 객체들 간의 IS-PART-OF 관계를 이용한 정보의 통합을 가능하게 하는 필수적인 요소와 정보의 공유가 가능해야 하는 집단화 계층(aggregation hierarchy)을 이룬다. 두 번째, 일반화 계층(generalization hierarchy)이다. 단화 계층에 속한 각 클래스들은 집단화 계층과는 독립적으로 IS-A 관계를 표현, 특성의 계층화가 이루어 져야 한다. 세 번째, 관계성 표현이다. 멀티미디어 개체들 간에는 다양한 관계성이 존재하는데 멀티미디어 응용을 위해서는 이것이 지원되어야 한다. 네 번째, 프리젠테이션 정보로 표현해야 한다. 멀티미디어 정보에 대해서 내용식 검색과 멀티미디어 데이터 간의 다양한 관계성을 통한 효율적인 연산이 지원되어야 한다. 다섯째, 버전관리다. 버전 관리의 생성와 제어 기능이 제공되어야 한다.

(3) 멀티미디어 DBMS 구조

OODBMS를 이용한 멀티미디어 DBMS는 주-보조(primary-secondary)구조에서 진보한 형태로 OODBMS(Object-Oriented DBMS)를 이용한 멀티미디어 DBMS 구조가 있다. OODBMS는 멀티미디어 데이터 구조를 관리하며, 요구 해석기는 멀티미디어 데이터를 캡처, 검색, 프리젠테이션하는 네 가지 기능을 수행한다. MULTOS시스템은 클라이언트 서버 구조로 워크스테이션들로 구성된 분산 환경에서 사용된다. 사용자 인터페이스 관리기는 클라이언트 쪽에 위치하며, 대화 관리기는 서버와 클라이언트 모두에 존재한다. 그리고 나머지 부분은 서버에 위치한다.

5.3.3 객체지향 데이터베이스와 멀티미디어의 결합

(1) 객체지향 데이터베이스의 제약

데이터베이스의 데이터 모델은 실세계의 객체 또는 개체들의 연관 관계와, 이들의 구성 요소들을 논리적으로 구성하는 것이다. 객체지향 데이터모델은 멀티미디어 데이터를 모델링하는데 필요한 기능이고, 데이터 추상화, 캡슐화(encapsulation), 특성 계승, 연산표현, 관계표현의 융통성, 모델의 확장성을 제공한다. 객체지향 데이터베이스는 관계형 데이터베이스에 비교할 만한 높은 수준의 기능을 제공하지 못한다. 모든 객체를 지속적 자료 또는 비지속적인 자료를 구분해서 선언해야 한다. 비절차 질의어, 자동 질의 처리와 최적화, 동시성 제어, 권한 부여, 동적인 스키마 변경, 시스템 데이터 구조의 변경 등의 기능이 충분히 제공되지 못하므로 데이터베이스 사용자들이 많이 사용하는 기능이 결여되어 있다.

(2) 객체 지향 데이터베이스의 제약 해결 방안

완전한 질의 기능의 구현을 위해 객체 지향 데이터베이스가 갖춰야 할 기능은 객체지향 데이터베이스에 적합한 질의어와 질의어 4처리를 위한 구문 처리기를 구현하고, 질의 최적기를 추가한다. 카탈로그 관리기를 구현하고, 동시성 제어와 회복 기법을 통합하고 구현한다.

사용자 스키마 변경을 위해 필요한 기능은 스키마를 동적으로 변경할 수 있는 기능을 설계하고 스키마 관리기를 시스템에 추가한다. 작업 영역 관리기를 확장하고, 상위 클래스의 스키마의 변경을 계승한다.

5.4 객체지향 데이터베이스시스템

5.4.1 객체 지향 데이터베이스의 개요

데이터베이스는 실세계에 존재하는 객체를 모델링하여 컴퓨터 안에서 관리하는 정형화된 데이터의 형태이다. 1970년대에는 관계형 기술을 실현하는데 연구 개발의 초점을 맞췄고, 1980년대는 오라클, 사이베이스, 인그레스, 인포믹스, DB2와 같은 상용 시스템이 출현하였다. 데이터베이스 응용의 형태는 간단한 텍스트에서 영상이나 음성 같은 멀티미디어 데이터를 저장하고 검색하는 복잡한 응용으로 변해 오고 있다.

관계 데이터베이스의 취약점은 복잡한 구조를 갖는 중첩된 데이터를 모델링하기에는 역부족하다는 것과 정수, 실수 문자 등 제한된 원시 데이터 유형만을 지원한다는 것이다. 계산위주의 응용이나 컴퓨터를 이용한 설계 환경에서 필요한 장시간 트랜잭션에 부적합하고 응용프로그램에서 사용되는 언어들의 혼합 사용의 어려움도 한 몫한다. 관계 데이터 기술의 한계점은 객체 지향 데이터베이스 기술을 개발하는 동기를 제공하게 되었다.

객체지향의 개념이 기존의 데이터베이스 설계에서 발생하는 문제들을 해결할 수 있었다. 이것이 데이터베이스 설계에 객체지향이 도입된 동기이기도 하다. 다음은 기존 데이터베이스에서 데이터와 연산을 분리할 때 발생하는 문제점이다.

(1) 데이터와 연산 분리시의 문제점
(2) 데이터의 연산 집합 간의 연관 관계 관리의 어려움
(3) 데이터의 합법적 변환 관리의 어려움
(4) 구조 변환에 따르는 연산 집합 관리의 어려움
(5) 설계에 중복 부분이 발생할 가능성이 높음
(6) 설계의 유지 보수가 어려움

위의 문제를 해결하기 위하여 객체지향 설계 개념이 도입되었다. 객체지향 설계

개념은 실세계에 존재하는 개념적 개체를 중심으로 모델링하는 방식이다. 다음은 관계 데이터베이스와 객체지향 데이터베이스의 차이에 대해서 알아본다.

(1) 캡슐화(capsulation), 상속(inheritance), 다형성(polymorphism)의 강력한 메커니즘을 제공한다.
(2) 다른 시스템에 비해 객체를 생성 관리하는 요구를 직접 수용 가능하다.
(3) 통합된 프로그래밍 언어와 데이터베이스 언어로 확장 가능하다.
(4) 복잡한 소프트웨어 시스템을 설계, 개발, 관리, 발전시키는데 요구되는 비용을 최소화하는 유일한 방법으로 거론되고 있다.
(5) 객체 지향 응용과 응용 개발 환경을 위한 플랫폼이다.
(6) 객체 지향 데이터베이스의 기본적인 요구 사항은 다음과 같다.
 - 질의 처리, 트랜잭션 관리, 동시성 제어, 파일 회복, 저장 관리 기능
 - 식별자지원, 캡슐화, 상속 개념, 복합 객체 상태를 갖는 객체의 지원
(7) 1세대 객체지향 데이터베이스 시스템
 - 객체지향 프로그래밍 언어(OOPL)를 위한 저장 관리기
(8) 객체지향 프로그래밍 언어(OOPL)를 위한 저장 관리기
 - SQL 언어를 지원하는 객체 지향 데이터베이스
 - 핵심 객체 지향 개념을 관계 데이터 모델에 추가한 것
(9) 핵심 객체 지향 개념인 캡슐화, 객체 식별자, 다중 상속, 임의의 데이터 유형, 중첩 객체을 지원한다.

5.4.2 객체지향 데이터베이스의 장단점

객체지향 데이터베이스의 장점은 다음과 같다.

(1) 데이터 모델링의 다양성을 들 수 있다. 다양한 모델링 기법을 제공하는데 이러한 기능들은 복잡한 객체를 편리하게 기술하도록 지원해준다.

(2) 재사용성(reusability)과 확장성(extensibility)을 갖는다. 재사용성은 새로운 환경에서의 모델링을 할 때 기존의 모듈을 다시 사용하는 S/W의 가능성이다. 확장성은 기

존의 시스템에 추가적 요구 사항 및 환경 변화에 대응하는 능력을 보여준다.

(3) 개념적 일치성을 갖는다. 실세계에 존재하는 개념적 개체를 중심으로 데이터베이스를 구축하기 때문에 개념파악이 용이하다. 실세계 데이터를 물리적 데이터베이스에 구현하는데 용이하다.

(4) 지원 기능이 다양하다. 질의어, 복합 객체, 버전 관리, 스키마의 변화, 멀티미디어 데이터의 관리, 긴 트랜잭션 처리 등 다양한 기능을 제공한다.

객체지향 데이터베이스의 단점은 다음과 같다.

(1) 이론의 부재를 들 수 있다. 정형화된 수학적 이론 기반이 필요하다.
(2) 복잡성이다. 데이터 모델링의 다양성과 복합 객체는 실세계를 모델링하는데 편리함을 지원하지만, 복잡성으로 인하여 데이터베이스를 관리할 때 어려움과 성능 저하를 초래할 수 있다.
(3) 질의 최적화의 복잡성이다. 일반 프로그래밍 언어에 내장된 형태로 지원된다.

5.4.3 객체지향 데이터 모델

객체지향 개념에는 표준안이나 수학적 이론 기반이 취약한 편이지만 다음과 같은 객체지향의 공통된 기본 개념을 제공함으로써 데이터베이스를 설계하는데 많은 장점을 제공한다.

(1) 객체

실세계에 존재하며 하나의 개체를 생성하는 데이터베이스의 구성 단위이고, 속성(attribute)과 속성을 관리하는 연산들의 집합들의 모임으로 정형화한 것이다. 객체를 유일하게 구별하기 위하여 세 가지 요소가 반드시 있어야 한다. 첫째, 시스템에서는 각각의 객체마다 객체 식별자(object identifier)가 존재해야 한다. 객체 식별자는 유일하고 키(key)와는 다른 개념으로 사용한다. 둘째, 상태(state)로 표현 가능하고, 상태는 객체 안의 속성의 값으로 구성할 수 있다. 셋째, 상태를 표현할 수 있는 행위를 표현한 메소드가 필요하다.

속성의 도메인은 일반 프로그래밍 언어가 지원하는 기본 형태를 이용하고, 다른 객체가 가지는 도메인이 되어 복합 객체를 구성할 수 있다. 클래스 애트리뷰트와 도메인 클래스와의 관계는 클래스 구성 계층으로 구성한다.

(2) 메시지

객체에게 메시지에 해당하는 메소드를 수행하라는 일종의 신호이다. 객체지향 개념에서는 이러한 메시지를 이용한 객체 간의 통신으로 모든 동작을 수행한다. 객체의 접근 가능한 범위를 제한하기 위하여 메시지의 지정은 객체의 내부와 외부를 나누는 역할을 한다. 메시지의 개념은 클래스의 접근 권한의 제어와 객체의 캡슐화를 지원한다.

(3) 클래스

객체를 생성하기 위한 일종의 기본틀이가. 객체의 속성과 메소드를 정의하는 부분으로 클래스에 의거하여 생성된 객체와 분류 관계를 갖는다. 질의의 대상이 클래스가 되는 것이다. 클래스 안에 애트리뷰트의 도메인과 무결성 조건을 기술하여 의미적 무결성을 증가시켜 데이터베이스 유지 보수의 편리성을 지원한다. 클래스 안에 애트리뷰트와 메소드에 대한 정의를 포함하여 객체들 사이에 중복된 정의를 막아줌으로서 저장 공간의 절약과 동적 스키마 변경을 지원한다. 메타클래스는 클래스의 클래스이다. 메타 클래스의 인스턴스는 클래스가 되며, 클래스의 인스턴스는 객체가 된다.

(4) 클래스 계층구조

일반화는 여러 클래스의 공통된 속성을 추출하여 슈퍼클래스를 만드는 작업이고, 특수화는 하나의 클래스에서 특수한 경우를 생각하는 작업이다. 서브 클래스는 상위 클래스에서 여러 개의 하위 클래스로 분류되는 것이고, 상위클래스와 하위 클래스 간에는 일반화 관계가 성립한다. 하위클래스는 상위클래스의 애트리뷰트와 메소드를 상속 받을 수 있다.

강한 해석(strong interpretation)은 한 클래스에서 파생된 인스턴스가 파생된 클래스의 상위 클래스에 속한다고 보는 해석이고, 인스턴스 삭제가 매우 어렵다는 단점이 있다. 약한 해석(weak interpretation) 은 한 클래스에서 파생된 인스턴스가 파생된 클래스의 상위 클래스에 속하지 않는다고 보는 해석이다.

(5) 단일 상속과 다중 상속

단일 상속은 하나의 상위 클래스로부터만 상속을 받는 구조로 단순하여 이해가 쉽다. 현실 세계를 표현하는 데는 역부족이라고 할 수 있다. 애트리뷰트나 메소드의 중복이 유발되기 쉽다. 다중 상속은 여러 개의 상위 클래스로부터 상속 받는 구조로 단일 상속의 문제점을 해결하기 위한 것이다.

(6) 다중성

다중성은 상위 클래스의 메소드 정의가 하위 클래스에 부적합할 때 하위 클래스에 적용되는 메소드를 재정의 하는 것이다. 동일한 메시지에 대해서 클래스마다 서로 다르게 동작하도록 지정이 가능하다.

(7) 복합객체

객체의 애트리뷰트로 다른 객체를 가질 수 있게 함으로서 포함 관계를 갖는 객체를 표현하는데 사용한다. 객체와 포함되는 객체 사이에는 집단화(aggregation) 관계가 성립한다. 구성 객체가 한 객체에만 속할 경우는 베타적(exclusive)이고, 구성 객체가 여러 객체에 속할 수 있을 경우에는 공유적(shared)이다. 종속(dependent)과 독립(independent)은 객체의 존재가 그 객체를 소유하는 객체의 의존 여부에 따라서 결정한다.

복합 객체에서 발생하는 참조 관계는 배타적 의존, 배타적 독립, 공유적 의존, 공유적 독립인 네 가지로 분류한다. 복합 객체 관리를 위해서는 동시성 제어, 스키마의 변경, 버전 제어, 권한 검사 등의 관리대상 객체와 이를 구성하는 구성 객체까지 제어해야 한다.

(8) 스키마 변경

클래스 계층도에 따라 클래스 정의의 변경과 상속 관계의 변경으로 크게 나누어 진다. 클래스 정의의 변경은 여러 가지가 있을 수 있다. 애트리뷰트를 추가하거나 삭제하여 애트리뷰트를 변경할 수 있고, 메소드를 추가하거나 삭제하여 메소드를 변경할 수도 있다. 클래스의 명칭을 변경하기도 한다.

상속 관계의 변경은 상위 클래스를 추가하거나 삭제하고, 상위 클래스들의 우선 순위를 변경한다. 클래스를 추가하거나 삭제하고, 여러 클래스로부터 공통점을 추출해 일반화된 상위 클래스로 추가하고 통합한다. 또한 클래스를 여러 클래스로 분할하기도 한다.

데이터베이스 스키마가 객체지향 데이터 모델과 일관성을 유지하기 위해서는 불변성이라는 몇 가지 충족되어야 할 성질이 있다. 시스템이 제공하는 클래스를 루트 노드로 하는 DAG(directed acyclic graph) 를 구성하여 클래스 계층 구조의불변성이 있다. 클래스 명칭은 계층 구조 안에서 유일하며, 애트리뷰트와 메소드의 이름은 클래스 안에서 유일한 이름을 가져야 하는 명칭의 불변성이 있다. 애트리뷰트와 메소드는 그 근원이 구별되야 하므로 근원의 불변성이 있다. 상위 클래스의 모든 애트리뷰트와 메소드를 상속 받으므로 완전 상속의 불변성이 있다. 상속받은 애트리뷰트의 메소드를 상속받아야 하므로 도메인의 불변성이 있다.

연습문제 EXERCISES

5.1 분산 데이터베이스에 대해서 간략하게 설명하시오.

5.2 분산 데이터베이스 시스템에서 분산 은폐성에 대해 설명하시오.

5.3 객체지향 데이터베이스의 장점을 기술하시오.

5.4 객체지향 데이터베이스 시스템에서 강한 해석과 약한 해석에 대해서 설명하시오.

5.5 분산 데이터베이스 시스템에서 일반화 계층과 집단화 계층에 대해서 설명하시오.

제2부 MySQL실습

6장. 테이블 생성

6.1 테이블 만들기

관계 데이터베이스는 여러 릴레이션을 포함하고 있고, 각 릴레이션은 투플들을 포함하고 있다. 관계 데이터베이스 스키마는 릴레이션 스킴의 집합과 무결성 제약조건으로 구성된다. 관계 데이터베이스는 관계 데이터베이스 스키마에 정의된 릴레이션 인스턴스들의 집합이라 할 수 있다. 이 릴레이션 인스턴스들은 모두 무결성 제약조건을 만족시키고 있다고 본다.

앞으로 MySQL 실습에 사용될 대학(University) 관계 데이터베이스, 병원(Hospital) 관계 데이터베이스, 애완견 관계 데이터베이스에 대해서 알아본다. 대학 관계 데이터베이스에는 학생(STUDENT) 테이블, 성적(GRADE) 테이블, 과목 테이블로 구성되어 있다. 병원 관계 데이터베이스는 hospital 테이블, 애완견 관계 데이터베이스는 pet 테이블 각각 한 개로 구성되어 있다.

학생(STUDENT) 테이블

학번	이름	학과	성별	학년	지도교수	연락처
81	보라미	법학과	남	1	김현재	348-4556
92	미라미	사학과	남	2	김상수	401-2341
73	이원지	회계학과	남	3	이진철	382-3452
85	김철원	법학과	남	2	박상현	457-6548
74	박한솔	사학과	여	4	최신자	348-4867
79	소리샘	회계학과	남	3	박남영	391-6123
41	남동하	사학과	남	4	정철민	280-7123
83	조미미	사학과	여	3	장하나	367-4987
30	한아름	회계학과	남	3	김도영	200-1234
80	김인식	법학과	여	2	장윤정	373-4872
50	김춘숙	사학과	여	1	나미자	413-6123

성적(GRADE) 테이블

학번	교과번호	중간고사	기말고사
81	a310	46	65
92	b560	83	69
73	a310	80	73
85	a310	96	99
74	c430	74	61
79	c430	71	85
41	b560	68	45
83	e290	83	45
30	b560	35	40
80	a310	67	45
50	e290	76	88

과목테이블

교과번호	교과명	담당교수	학점
a310	컴퓨터	차인표	3
b560	콘텐츠	백두산	3
a310	컴퓨터	소리샘	3
a310	컴퓨터	이몽룡	2
c430	엑셀	이소라	2
c430	엑셀	이장호	3
b560	콘텐츠	조아라	6
e290	자바	박이호	6
b560	콘텐츠	홍길동	3
a310	컴퓨터	한송이	2
e290	자바	지양	88

PET 테이블

name	owner	speecies	sex	birth	death
Puffball	MinYong	hamster	m	2006-06-18	NULL
Banny	TaeHee	rabbit	f	2007-02-11	NULL
Nero	DeaSeung	dog	f	2005-12-30	2009-03-09
Janggun	MinYong	dog	m	2007-01-23	NULL
pony	DeaSeung	bird	m	2009-05-30	NULL
Ruru	MinYong	cat	m	2008-05-05	NULL
Hade	DeaSeung	bird	f	2005-03-08	2008-08-11
Bobo	SoJung	dog 과	m	2008-04-15	NULL
Spark	TaeHee	cat	f	2006-01-01	2009-08-27
KiKi	SoJung	cat	f	2007-09-19	NULL

VIDEO 테이블

code	title	price	category	date	company
0001	아이리스	13000	드라마	2009-09-11	KBS
0002	선덕여왕	11000	드라마	2009-08-19	MBC
0003	터미네이트4	15000	SF	2009-05-21	마스 엔터테인먼트
0004	굿모닝 프레지던트	15000	코미디	2009-10-22	CJ 엔터테인먼트
0005	김씨표류기	15000	드라마	2009-05-14	반짝반짝 영화사
0006	7급공무원	15000	코미디	2009-04-22	롯데 엔터시네마
0007	밴드 오브 브라더스	35000	전쟁드라마	2001-09-09	HBO
0008	불신지옥	15000	공포	2009-08-12	쇼박스

HOSPITAL 테이블

name	address	sex	disease	birth	death
정민용	내방동	남	위암	1986-09-10	NULL
이충한	신림동	남	간암	1974-02-05	2009-05-02
장길호	청담동	남	췌장암	1967-06-01	NULL
김숙자	남정동	여	유방암	1962-08-03	2008-03-08
최용희	북성동	남	간암	1977-12-12	2009-02-15
이강희	이문동	여	자궁내막암	1981-04-30	NULL
김동건	논현동	남	위암	1972-03-07	NULL
임형택	덕산동	남	피부암	1955-07-02	2006-03-29
최태복	중앙동	남	대장암	1948-11-21	NULL
신종철	황천동	남	폐암	1951-12-30	2009-07-12
이윤하	연향동	여	소아암	1964-11-19	NULL

7장. MySQL 시작하기

MySQL을 사용할 때는 MySQL 자체가 클라이언트와/서버 구조를 사용하기 때문에 실제로는 두 개의 프로그램을 사용하고 있는 것이다. mysql이라는 서버 프로그램은 데이터베이스에 저장된 컴퓨터에 있다. 이 프로그램은 네트워크를 통해 들어오는 클라이언트들의 요청을 받아들이고, 이러한 요청들에 따라 데이터베이스의 내용에 접근하여 정보를 클라이언트에 제공한다. 클라이언트는 데이터베이스 서버에 연결하여 질의어를 보내서 클라이언트가 어떠한 정보를 원하는지 서버에 알리는 역할을 하는 프로그램이다. 여기서 MySQL은 MySQL RDBMS 전체를 가리키고, mysql은 특정한 클라이언트 프로그램의 이름이라는 것을 알아두자.

MySQL 데이터베이스 시스템은 대표적인 공개SW로 빠르고, 고성능이지만, 상대적으로 단순한 데이터베이스 시스템이다. 많은 클라이언트 프로그램들이 동시에 서버에 접속할 수 있고, 네트워크를 완전하게 지원하는 장점을 갖는다. MySQL을 다운로드하고 리눅스 환경에서 설치하는 과정을 설명한다.

7.1 MySQL 설치하기

필요한 소프트웨어는 MySQL 클라이언트와 MySQL 서버가 있다. 클라이언트 프로그램은 반드시 작업할 컴퓨터 상에 위치해야만 한다. 서버는 자신의 컴퓨터에 위치할 수도 있고 아닐 수도 있다. 서버에 연결할 수 있는 허가권만 가지고 있다면 서버는 어느 위치에 있어도 좋다.

MySQL 소프트웨어에 더하여, 서버에 연결해서 샘플 데이터베이스와 테이블을 만들수있게 하기 위한 MySQL 계정도 필요하게 된다.

7.1.1 RPM 패키지를 사용해서 리눅스에 MySQL 설치하기

리눅스에 MySQL을 설치할 때 권장하는 방법은 RPM(Redhot Package Management: 사용자가 새로운 프로그램의 소스 코드를 소스와 바이너리로 패키징) 패키지를 사용하는 것이다. MySQL 개발사가 제공하는 RPM은 RPM 패키지를 지원하고, glic 2.3을 사용하는 모든 리눅스에서 구동을 한다. RPM을 지원하지 않는 리눅스에 MySQL을 설치하기 위해서는 .tar.gz. 패키지를 사용한다.

MySQL 개발사는 특정 플랫폼 관련 RPM들을 제공한다. 플랫폼 관련 RPM과 일반 RPM의 차이는, 플랫폼 관련 RPM은 특정 플랫폼에 구축되어 동적으로 해당 플랫폼에 연결 되도록 만들어진 것이고, 일반 RPM은 리눅스 쓰레드(Linux Thread)를 갖고 정적으로 연결된다는 것이다.

대부분의 경우, MySQL 표준 기능 설치는 MySQL-server 및 MySQL-client만 설치하면 된다. 다른 패키지들은 표준 설치에서 필요 없는 것들이다. MySQL 패키지를 설치하고자 할 때 의존적 실패(Dependency Failure)가 발생하면 (예를 들어, error: removing these packages would break dependencies: libmysqlclient.so.10 is needed by ...), MySQL-shared-compact 패키지도 함께 설치해야 하는데, 여기에는 이전 버전 (backward)과의 호환성을 위한 공유 라이브러리가 들어 있다.(MySQL 4.0을 위한 libmysqlclient.so.12 및 MySQL 3.23을 위한 libmysqlclient.so.10). 몇몇 리눅스 배포판들은 아직까지도 MySQL 3.23과 함께 제공되며 이것들은 일반적으로 디스크 공간을 절약하기 위해 어플리케이션들과 동적으로 연결되어 있다. 별도의 패키지에 이러한 공유 라이브러리들이 있는 경우(예를 들면, MySQL-shared), 설치된 패키지는 그대로 놓아두고 MySQL 서버와 클라이언트 패키지를 업그레이드 하는 것으로도 충분하다. (이것들은 정적으로 링크가 되어 있으며 공유 라이브러리들에는 의존하지 않는다). 다음의 RPM 패키지들은 사용 가능한 것들이다.

- ❑ MySQL-server-VERSION.glibc23.i386.rpm

MySQL 서버. 다른 머신에서 구동하고 있는 MySQL 서버에만 연결하고 싶지 않을 경우에는 이것을 사용한다.

- ❑ MySQL-client-VERSION.glibc23.i386.rpm

표준 MySQL 클라이언트 프로그램. 대부분의 경우에 이 패키지를 설치하면 된다.

❑ MySQL-devel-VERSION.glibc23.i386.rpm

Perl 모듈과 같은 다른 MySQL 클라이언트를 컴파일하고자 할 때 필요한 라이브러리 및 파일들을 포함한다.

❑ MySQL-debuginfo-VERSION.glibc23.i386.rpm

이 패키지에는 디버깅 정보가 들어 있다. debuginfo RPM은 MySQL 소프트웨어를 사용할 경우에는 필요가 없는 것이다. 서버 및 클라이언트에 모두 해당된다. 크래시를 분석하기 위한 디버거에는 중요한 정보가 된다.

❑ MySQL-shared-VERSION.glibc23.i386.rpm

이 패키지는 MySQL을 동적으로 가져와서 사용하는데 필요한 특정 언어와 어플리케이션인 공유 라이브러리(libmysqlclient.so*)를 가지고 있다. 여기에는 싱글-쓰레드 및 쓰레드-안전 라이브러리(thread-safe)가 들어 있다.

이 패키지를 설치한다면, MySQL-shared-compact 패키지를 설치하지 말도록 한다.

❑ MySQL-shared-compat-VERSION.glibc23.i386.rpm

이 패키지는 MySQL 3.23, 4.0, 4.1, 그리고 5.1에 필요한 공유 라이브러리를 가지고 있다. 여기에는 싱글-쓰레드 및 쓰레드-안전 라이브러리 (thread-safe)가 들어있다. 구형 버전 MySQL에 동적으로 링크가 된 어플리케이션을 가지고 있기는 하지만 라이브러리 의존도를 깨지 않으면서 현재 버전으로 업그레이드를 하고자 하는 경우에는 MySQL-shared 대신에 이 패키지를 설치한다.

❑ MySQL-embedded-VERSION.glibc23.i386.rpm

임베디드 MySQL 서버 라이브러리를 포함한다.

❑ MySQL-ndb-management-VERSION.glibc23.i386.rpm,
MySQL-ndb-storage-VERSION.glibc23.i386.rpm,
MySQL-ndb-tools-VERSION.glibc23.i386.rpm,
MySQL-ndb-extra-VERSION.glibc23.i386.rpm

MySQL 클러스터를 설치하기 위해 필요한 추가파일을 가지고 있는 패키지를 포함한다.

- MySQL-test-VERSION.glibc23.i386.rpm
  이 패키지에는 MySQL 테스트 슈트(suite)가 포함되어 있다.

- MySQL-VERSION.src.rpm
  이 패키지는 모든 이전 패키지의 소스를 가지고 있다. 이것은 다른 아키텍처(예를 들면, Alpha 또는 SPARC)에 RPM을 재구성할 때 사용할 수 있다.
  RPM 패키지의 접두어(VERSION 값 다음에 나오는 것)는 다음과 같은 문법을 갖는다.

```
.PLATFORM.CPU.rpm
```

PLATFORM 및 CPU 값은 패키지를 설치할 시스템 타입을 가리킨다. PLATFORM은 플랫폼을 가리키며 CPU는 프로세서 타입과 종류를 가리킨다. 모든 패키지는 glibc 2.3에 대해서 동적으로 링크가 된다. PLATFORM 값은 패키지가 플랫폼과 관련이 있는지 아니면 특정 플랫폼에만 해당이 되는지를 가리킨다.

glibc 23	Platform independent, should run on any Linux distri bution that supports glibc 2.3
rhel3, rhel4	Red Hat Enterprise Linux 3 or 4
sles9, sles10	SuSE Linux Enterprise Server 9 or 10

CPU 값은 패키지가 설치되는 프로세서 타입 또는 그 종류를 가리킨다.

i386	x86 processor, 386 and up
i586	x86 processor, Pentium and up
x86_64	64-bit x86 processor
ia64	Itanium (IA-64) Processor

RPM 패키지 안에 들어있는 모든 파일을 보기 위해서는 다음과 같은 명령어를

실행한다.

```
shell> rpm -qpl MySQL-server-VERSION.glibc23.i386.rpm
```

표준 최소설치를 실행하기 위해서는 서버와 클라이언트의 RPM을 설치한다.

```
shell> rpm -i MySQL-server-VERSION.glibc23.i386.rpm
shell> rpm -i MySQL-client-VERSION.glibc23.i386.rpm
```

클라이언트 프로그램만 설치할 경우에는 단지 클라이언트 RPM만 설치한다.

```
shell> rpm -i MySQL-client-VERSION.glibc23.i386.rpm
```

RPM은 설치하기 전에 패키지의 신뢰도와 직접도를 검증할 수 있는 기능을 제공한다. 서버 RPM은 데이터를 /var/lib/mysql 밑에 놓는다. RPM은 또한mysql이 MySQL서버를 구동시키기 위해 사용할 수 있는 로그인 계정을 생성하며(존재하지 않는다면), 부팅시 자동으로 서버를 구동시키기 위해 /etc/init.d/ 안에 적당한 엔트리를 생성한다.(이것은 이전에 설치를 했고 시작 스크립트를 변경시켰다면, 스크립트를 복사해 두어서 새로운 RPM을 설치할 때 잃어 버리는 것을 대비할 수 있다는 것을 의미한다).

/etc/init.d (직접적으로 또는 Symlink를 통해)에 있는 초기화 스크립트를 지원하지 않는 구형 리눅스 배포판에 MySQL RPM을 설치하고자 한다면, 초기화 스크립트가 실제로 설치되어 있는 장소를 가리키는 심볼 링크를 생성해야 한다. 그 위치가 /etc/re.d/init.d라면, RPM을 설치하기 전에 그 위치를 가리키는 심볼릭 링크인 /etc/init.d를 생성하기 위한 명령어는를 다음과 같이 실행한다.

```
shell> cd /etc
shell> ln -s rc.d/init.d
```

현재의 모든 주요 리눅스 배포판은 /etc/init.d를 사용하는 새로운 디렉토리를 지원하고 있다. 이것은 LSB(Linux Standard Base) 호환을 위해 필요하기 때문이다.

7.1.2 tar.gz 파일을 이용한 수동 설치

RPM을 지원하지 않는 운영체제 또는 수동설치를 원하는 사용자는 MySQL을 직접 다운로드하여 수동으로 설치한다. RPM의 최대 단점이라고 한다면 설치과정이 일관적이라는 면이 있다. RPM 설치를 하게 되면 설치경로가 Default로 설정되기 때문에 보안면에서도 취약한 점이 있다. Default로 설치된 MySQL은 해커들의 공격에 쉽게 뚫릴 수 있기 때문에, 보안문제 이전에 미연에 해킹방지를 위해서는 자신만의 폴더에 수동설치를 권장한다.

MySQL 수동 설치 무작정 따라하기

리눅스에 MySQL을 설치하기에 앞서, 리눅스의 기존 라이브러리들을 업데이트 하는 것이 현명하다. 이유는 MySQL 설치나 실행 중 발생할 수 있는 오류를 방지해 주기 위해서이다.

Terminal	
1	# yum - y install kernel*
2	# yum -y update

```
[root@localhost MD]# yum -y install kernel*
```

```
[root@localhost MD]# yum -y update
```

설명

▶ yum install [Package]

설치되어 있지 않는 새 패키지의 경우 install을 사용하여 설치한다. 의존성에 걸린 파일들까지 찾아서 자동으로 같이 설치해준다.

▶ yum update

뒤에 패키지를 지정하지 않고 yum update를 실행하면 업데이트 가능한 항목들과 새로 설치될 항목들의 리스트(헤더파일)만 다운받고 설치할 것인지 물어보며 Y를 누르면 모든 항목을 자동 설치한다.(의존성을 검사하여 필요한 파일까지 자동설치)

본격적인 설치

yum을 사용하여 한글폰트를 다운로드 및 설치한다.

Terminal

```
1    # yum -y install ked-i18n-Korean fonts-korean
```

```
[root@localhost ~]# yum -y install kde-i18n-Korean fonts-korean
```

vi 편집기를 사용하여 다음의 파일을 수정한다.

Terminal

```
1    # vi /etc/sysconfig/i18n
```

OutPut

```
1    LANG="ko_KR.eucKR"
2    SUPPORTED="en_US.UTF-8;en_US;en;ko_KR;eucKR;ko_KR;ko"
3    SYSFONT="lat0-sun16"
```

```
[root@localhost ~]# vi /etc/sysconfig/i18n
```

```
LANG="ko_KR.eucKR"
SUPPORTED="en_US.UTF-8:en_US:en:ko_KR:eucKR:ko_KR:ko"
SYSFONT="lat0-sun16"
~
```

etc/sysconfig/i18n 파일의 변경사항을 적용시킨다. 재부팅을 하여도 적용된다.

Terminal

```
1    # source /etc/sysconfig/i18n
```

```
[root@localhost ~]# source /etc/sysconfig/i18n
```

설명

CentOS 사용시 발생하는 한글 깨짐현상을 방지하기 위해 /etc/sysconfig/i18n 파일을 위와 같이 변경하면 한글 깨짐 현상을 방지할 수 있다. vi 편집기 사용 시 입력은 insert key를 사용하고, 입력을 마친 후 저장 후 종료는 shift + : key를 입력한 후 wq를 입력해 저장 후 종료한다.

MySQL 설치를 위해 각종 컴파일러 및 라이브러리 모듈을 설치한다. 컴파일러 및 라이브러리 모듈의 설치는 MySQL 설치시에 발생할 수 있는 컴파일러 오류를 막기 위함이다.

Terminal

```
1    # yum -y install gcc* cpp gcc-* compat-gcc-* flex jpeg-devel libpng-
2    devel libtiff-devel openssl-devel curl-devel libtermcap-devel zlib-deve
3    l freetype-devel openldap-devel pam-devel sendmail-cf vsftpd telne
4    t-server
```

```
[root@localhost MD]# yum -y install gcc* cpp gcc-* compat-gcc-* flex jpeg-devel
libpng-devel libtiff-devel openssl-devel curl-devel libtermcap-devel zlib-devel
freetype-devel openldap-devel pam-devel sendmail-cf vsftpd telnet-server
```

기존에 설치되어 있는 MySQL을 삭제한다.

Terminal

```
1    # yum -y remove mysql*
```

```
[root@localhost MD]# yum -y remove mysql*
```

mysql 사용자를 추가한다.

Terminal

```
1    # useradd -M -s /bin/false mysql
```

```
[root@localhost ~]# useradd -M -s /bin/false mysql
```

설명

-M 홈디렉토리를 생성하지 않는다.
-s /bin/false 유저의 loginshell을 사용할 수 없게 한다.
즉, mysql이라는 유저는 mysql 데몬을 실행하기 위한 유저일 뿐이라는 뜻이다.

mysql을 다운로드한다. 이때 다운로드의 경로는 /usr/local/src 이며 다운로드는 wget 을 사용하여 받는다.

Terminal

```
1  # cd /usr/local/src
2  # wget ftp://mirror.khlug.org/mysql/Downloads/MySQL-5.1/mysql-5.
3  1.42.tar.gz
```

```
[root@localhost ~]# cd /usr/local/src/
[root@localhost src]# wget ftp://mirror.khlug.org/mysql/Downloads/MySQL-5.1/mysq
l-5.1.42.tar.gz
```

다운로드가 완료되면 현재경로에 압축을 푼다.

Terminal

```
1  # tar -xzvf mysql-5.1.42.tar.gz
```

```
[root@localhost src]# tar -xzvf mysql-5.1.42
```

압축을 푼 디렉토리로 이동한 후 configure 명령어를 사용하여 환경설정을 한다.

Terminal

```
1  # cd mysql-5.1.42
```

```
[root@localhost src]# cd mysql-5.1.42
[root@localhost mysql-5.1.42]#
```

Terminal

```
1  # ./configure --prefix=/usr/local/mysql --localstatedir=/usr/local/my
2  sql/data/ --sysconfdir=/etc --with-charset=utf8 --with-extra-charsets=all
3  --with-plugins-innobase
```

```
[root@localhost mysql-5.1.42]# ./configure --prefix=/usr/local/mysql --localstat
edir=/usr/local/mysql/data/ --sysconfdir=/etc --with-charset=utf8 --with-extra-c
harsets=all --with-plugins-innobase
```

설명

--prefix=/usr/local/mysql ☞ /usr/local/mysql 경로에 설치

--localstatedir=/usr/local/mysql/data ☞ DB 데이터를 data에 설치

--sysconfdir=etc ☞ 환경설정파일이 저장될 경로

--with-charset=utf8

--with-extra-charsets=all ☞ character setting

환경 설정을 마친 후 make 와 make install 명령어로 설치한다.

Terminal

```
1  # make && make install
```

```
[root@localhost mysql-5.1.42]# make && make install
```

설명

make 명령어는 소스코드를 실제로 컴파일해서 binary 파일을 생성해 주는 역할을 한다.

make install 명령어는 만들어진 binary 파일을 지정된 폴더로 이동시켜주는 역할을 한다.

설치완료 후 기본 데이터베이스를 생성한다.

Terminal

```
1  # /usr/local/mysql/bin/mysql_install_db --user=mysql
```

```
[root@localhost mysql-5.1.42]# /usr/local/mysql/bin/mysql_install_db --user=mysql
```

/usr/local/mysql 디렉토리의 소유권을 변경한다.

Terminal

```
1    # chown root.mysql -R /usr/local/mysql
```

```
[root@localhost mysql-5.1.42]# chown root.mysql -R /usr/local/mysql/
```

Terminal

```
1    # chown mysql.mysql -R /usr/local/mysql
```

```
[root@localhost mysql-5.1.42]# chown mysql.mysql -R /usr/local/mysql
```

어느 위치에서도 mysql을 실행할수 있도록 path를 지정한다.

Terminal

```
1    # vi ~/.bash_profile
```

```
[root@localhost mysql-5.1.42]# vi ~/.bash_profile
```

설명

PATH=$PATH:$HOME/bin 옆에 추가한다.

```
# .bash_profile

# Get the aliases and functions
if [ -f ~/.bashrc ]; then
        . ~/.bashrc
fi

# User specific environment and startup programs

PATH=$PATH:$HOME/bin:/usr/local/mysql/bin

export PATH
unset USERNAME
```

Terminal

```
1    # vi /etc/skel/.bash_profile
```

```
[root@localhost mysql-5.1.42]# vi /etc/skel/.bash_profile
```

```
# .bash_profile

# Get the aliases and functions
if [ -f ~/.bashrc ]; then
        . ~/.bashrc
fi

# User specific environment and startup programs

PATH=$PATH:$HOME/bin:/usr/local/mysql/bin

export PATH
```

~/.bash_profile 파일의 변경사항을 적용시킨다. 재부팅을 하여도 적용된다.

Terminal

```
1    # vi /etc/skel/.bash_profile
```

```
[root@localhost mysql-5.1.42]# source ~/.bash_profile
```

mysql 자동 시작을 위해 설정파일을 복사한다.

Terminal

```
1    # cp /usr/local/mysql/share/mysql/my-huge.cnf   /etc/my.cnf
```

```
[root@localhost mysql-5.1.42]# cp /usr/local/mysql/share/mysql/my-huge.cnf  /etc/my.
cnf
```

Terminal

```
1    # cp /usr/local/mysql/share/mysql/mysql.server   /etc/init.d/mysqld
```

```
[root@localhost mysql-5.1.42]# cp /usr/local/mysql/share/mysql/mysql.server /etc/ini
.d/mysqld
```

mysql의 자동 시작을 등록한다.

Terminal

```
1    # chkconfig --add mysqld
```

```
[root@localhost mysql-5.1.42]# chkconfig --add mysqld
```

mysql의 자동 시작이 등록되었는지 확인한다.

Terminal	
1	# chkconfig --list | grep mysqld

```
[root@localhost mysql-5.1.42]# chkconfig --list | grep mysqld
```

mysql 데몬을 실행한다.

Terminal	
1	# /etc/init.d/mysqld start

```
[root@localhost mysql-5.1.42]# /etc/init.d/mysqld start
```

mysql root 계정의 비밀번호를 설정한다.

Terminal	
1	# mysqladmin -u root password ****

```
[root@localhost mysql-5.1.42]# mysqladmin -u root password ****
```

설명
MySQL 최초 설치 시 root 비밀번호 설정이 되어 있지 않기 때문에 꼭 해야 한다.

7.2 MySQL 접속하기

MySQL을 사용할 때에 모든 옵션이 필요하지는 않다. 적절하게 옵션을 사용하면 편리하다. 일반 사용자는 MySQL을 사용하기 위해서 서버관리자이자 MySQL을 세팅한 관리자에게 단지 MySQL에 접근하기 위한 아이디와 패스워드만 알려주면 된다.

일반 사용자가 MySQL을 배우려면 안정적으로 컴퓨터를 사용하여야만 한다. 그래야만 불필요한 에러 부분이 생기는 현상을 방지하고, 시스템이 다운되는 불상사가 일어나지 않는다. 하지만, MySQL에서 데이터베이스를 생성할 수 있는 권한과 접근할 수 있는 권한을 가지고 있어야 한다. 다음은 MySQL의 옵션들이다.

- -h host_name(착각하기 쉬운 형태 : --host = host_name)

웹 서버가 MySQL 서버와 같이 설치되어 있으며, 같은 서버에서 작동할 때에는 -h를 생략하여도 좋다.

- -u user_name(착각하기 쉬운 형태 : --user = user_name)
  독자의 사용자 이름, 유닉스 상에서 MySQL 사용자는 로긴 상태의 사용자 네임과 같다. 독자는 로그인할 때의 사용자와 MySQL 사용자가 같으면 이 옵션을 생략해도 된다.

윈도우즈 상에서 디폴트 사용자 이름이 ODBC 이지만 자주 사용되지는 않는다. 명령어에서 이름을 특성화 시키고, 사용자 변수를 세팅하기 위해서 환경을 디폴트로 세팅하여야만 한다.

예를 들어, 명령어를 타이핑 할 때에는 '사용자 이름 = MD' 이라고 한다.

```
set USER = MD
```

- -p(착각하기 쉬운 형태 : --password)
  MySQL 서버로 연결 시 비밀번호를 알아야 하며, -p에 MySQL 사용자의 비밀번호를 입력하여야 한다. 텔넷(telnet) 모드에서 사용자 아이디와 비밀번호는 다르며, MySQL의 사용자와 비밀번호는 별도로 받아야 한다.

사용방법의 예

```
# mysql -h host_name -u user_name -p
# Enter Password : ********
```

▶ 비밀번호는 프롬프트상에서 나타나지 않는다.

사용방법의 예

```
# mysql -h host_name -u user_name -p password
```

▶ 프롬프트상에 비밀번호가 보이므로 외부로 노출된 가망성이 많다.

일단 MySQL 설치를 완료 한 후 접속하는 방법에 대해서 알아보기로 하자. MySQL 데몬을 실행한다.

Terminal

```
1    # /usr/local/mysql/bin/mysqld_safe &
```

```
[root@localhost bin]# /usr/local/mysql/bin/mysqld_safe &
```

리눅스 재부팅시 mysql 데몬이 자동으로 올라올 수 있도록 /etc/rc.local에 등록한다.

Terminal

```
1    # echo "/usr/local/mysql/bin/mysqld_safe &" 〉〉 /etc/local
```

MySQL을 실행하여 정상적으로 설치가 되었는지 확인한다.

Terminal

```
1    # cd /usr/local/mysql/
2    # ./bin/mysql -u root -p
```

```
[root@localhost bin]# cd /usr/local/mysql
[root@localhost mysql]# ./bin/mysql -u root -p
Enter password:
```

설명

▶ .bin/mysql -y ID -p

ID 부분은 자신의 생성한 MySQL 사용자 계정을 입력한다.

다음과 같은 문구가 출력되면 정상적으로 MySQL이 설치가 된 것이다.

```
Welcome to the MySQL monitor.  Commands end with ; or \g.
Your MySQL connection id is 3
Server version: 5.0.33 Source distribution

Type 'help;' or '\h' for help. Type '\c' to clear the buffer.

mysql>
```

MySQL 접속 도중 연결을 끊고 싶으면 quit 명령어를 입력한다.

Terminal

```
1    > quit
```

```
Welcome to the MySQL monitor.  Commands end with ; or \g.
Your MySQL connection id is 3
Server version: 5.0.33 Source distribution

Type 'help;' or '\h' for help. Type '\c' to clear the buffer.

mysql> quit
Bye
[root@localhost mysql]#
```

설명

MySQL 접속 도중 언제라도 Linux 프롬프트 창으로 빠져나갈 수 있다.

7.3 MySQL명령어 실행 방법

7.3.1 쿼리 입력하기

리눅스에서 제공하는 간단한 질의문을 이용해서 명령어를 입력하는 기본 원칙에 대해 알아본다.

아래 예시는 서버가 현재의 날짜와 버전을 보여주도록 하는 간단한 명령어이다.

Terminal

```
1    > SELECT VERSION(), CURRNET_DATE;
```

```
mysql> select version(), current_date;
+-----------+--------------+
| version() | current_date |
+-----------+--------------+
| 5.0.33    | 2009-11-01   |
+-----------+--------------+
1 row in set (0.00 sec)
```

이 질의는 MySQL에 대한 몇 가지 내용을 설명하고 있다.

- 명령어는 세미콜론이 뒤에 나오는 SQL명령문으로 구성된다.
- 명령어를 입력하면, MySQL은 이 명령어를 서버에 보내서 실행을 하고 그 결과를 화면에 보여준 후에 또 다른 mysql> 프롬프트를 내 보내서 다른 명령어를

받아들일 준비가 되었음을 알려준다.

- MySQL은 질의 결과를 표 형식으로 보여 준다. 첫 번째 열에는 행의 레이블이 있다. 그 다음 열은 질의 결과 값이다. 일반적으로, 열 레이블은 데이터 베이스에서 가져오는 열 이름이 된다. 위에서 보여준 것과 같이 테이블 열이 아닌 수식 결과 값을 얻고자 한다면, mysql은 수식 자체가 된다.
- mysql은 얼마나 많은 행이 생성되었고 질의를 처리하는데 시간이 얼마나 소모되었는지에 대한 정보를 보여 주는데, 이러한 것들은 서버 성능에 대한 대략적인 정보를 제공해 준다. 이러한 값들은 정확한 값들이 아닐 수 있다. 그 이유는 대략적인 처리 시간만을 나타내고, 서버의 로드 및 네트워크의 성능에 따라서 결과 값이 달라질 수 있기 때문이다.

키워드들은 어떤 문자 형식(대/소문자)으로도 입력이 가능하다. 아래의 질의는 모두 동일한 것들이다.

Terminal	
1	〉 select version(), currnet_date;
2	〉 SELECT VERSION(), CURRENT_DATE;
3	〉 sELeCt vERsiOn(), cUrReNt_DaTe;

```
mysql> select version(), current_date;
+-----------+--------------+
| version() | current_date |
+-----------+--------------+
| 5.0.33    | 2009-11-01   |
+-----------+--------------+
1 row in set (0.00 sec)

mysql> SELECT VERSION(), CURRENT_DATE;
+-----------+--------------+
| VERSION() | CURRENT_DATE |
+-----------+--------------+
| 5.0.33    | 2009-11-01   |
+-----------+--------------+
1 row in set (0.00 sec)

mysql> sELeCt vERsiOn(), cUrReNt_DaTe;
+-----------+--------------+
| vERsiOn() | cUrReNt_DaTe |
+-----------+--------------+
| 5.0.33    | 2009-11-01   |
+-----------+--------------+
1 row in set (0.00 sec)
```

이 질의는 MySQL을 간단한 계산기 형태로 사용하는 예를 나타낸 것이다.

Terminal	
1	〉 SELECT SIN(PI()/4), (15+3)/2;

```
mysql> SELECT SIN(PI()/4), (15+3)/2;
+------------------+----------+
| SIN(PI()/4)      | (15+3)/2 |
+------------------+----------+
| 0.70710678118655 |   9.0000 |
+------------------+----------+
1 row in set (0.00 sec)
```

지금까지 보여준 질의는 상대적으로 간단한 단일 행 명령문들이다. 하나의 행에 여러 개의 명령문을 입력하는 것도 가능하다. 각각의 명령문들은 세미콜론으로 구분한다.

Terminal	
1	〉 SECLT VERSION(); SELECT NOW();

```
mysql> SELECT VERSION(); SELECT NOW();
+-----------+
| VERSION() |
+-----------+
| 5.0.33    |
+-----------+
1 row in set (0.00 sec)

+---------------------+
| NOW()               |
+---------------------+
| 2009-11-01 04:30:53 |
+---------------------+
1 row in set (0.00 sec)
```

명령어는 하나의 행에서만 표현될 필요는 없고, 여러 행이 필요한 긴 명령어를 입력하는 것도 문제가 없다. MySQL은 입력하는 명령문을 입력 행의 끝으로 구분하는 것이 아니라, 명령문의 끝을 가리키는 세미콜론을 가지고 구분한다. 다음은 아주 간단한 다중 행 명령문이다.

Terminal

```
1  〉SELECT
2  〉USER()
3  〉,
4  〉CURRNET_DATE,
5  〉VERSION();
```

```
mysql> SELECT
    -> USER()
    -> ,
    -> CURRENT_DATE,
    -> VERSION();
+----------------+--------------+-----------+
| USER()         | CURRENT_DATE | VERSION() |
+----------------+--------------+-----------+
| root@localhost | 2009-11-01   | 5.0.33    |
+----------------+--------------+-----------+
1 row in set (0.00 sec)
```

이 예시에서는 다중 행 질의의 처음 행을 입력한 후에 프롬프트가 mysql〉에서 -〉로 변하는 것을 잘 보아야한다. 이것은 MySQL이 아직 완전한 명령문을 가지지 않았고 나머지 부분이 입력되기를 기다리고 있다는 것을 나타내는 것이다.

명령어를 입력하는 도중에 입력한 명령어를 실행시키고 싶지 않을 경우, ₩c를 통해 취소명령을 내릴 수 있다.

Terminal

```
1  > SELECT
2  > USER()
3  > ,
4  > CURRNET_DATE,
5  > VERSION()
6  > \c
```

```
mysql> SELECT
    -> USER()
    -> ,
    -> CURRENT_DATE,
    -> VERSION()
    -> \c
mysql>
```

여기에서도 프롬프트의 변화를 주목하여야 한다. 프롬프트는 ₩c 이후에 mysql〉로 다시 복귀되었으며, mysql은 새로운 명령어를 실행할 준비가 되었음을 나타낸다.

7.3.2 데이터베이스 생성 방법

샘플 데이터베이스인 samp_db를 만들어 보도록 하자. 데이터베이스에서 테이블이 많아져서 데이터베이스를 더 필요로 할 경우에는 MySQL에서 생성한다. 아래에는 MySQL 서버에 데이터베이스를 생성하는 절차를 설명한다.

- MySQL 서버에 데이터베이스를 생성한다.
- MySQL 서버의 데이터베이스에서 테이블을 생성한다.
- MySQL 서버의 테이블에 데이터를 삽입하고, 삽입한 데이터를 불러와서 처리 작업 후에 저장 또는 삭제한다.

저장되어 있는 데이터를 불러오는 것은 MySQL에서 중요한 작업이다. MySQL 서버의 테이블에 새로운 데이터를 삽입하고 업데이트하는 작업도 매우 중요하다. 또한 MySQL 서버의 테이블에서 데이터를 저장하는 작업이 MySQL 서버에 데이터베이스를 생성하는 작업보다 훨씬 많다.

MySQL 서버에 새로운 데이터베이스를 생성한 후에 테이블을 생성한다. 생성된 테이블에 데이터를 삽입하고 저장한다. 이를 불러와서 삭제하기도 한다. MySQL 서버관리자는 MySQL 서버에 접속한 뒤에 새로운 데이터베이스를 생성 할 수 있지만, 일반 사용자는 데이터베이스를 생성할 수 없다. MySQL 슈퍼 사용자로 MySQL 서버에 접속하여 데이터베이스명인 samp_db를 생성한다.

```
# ./mysql -uroot -p mysql
```

-u 옵션 뒤에는 슈퍼 사용자인 root이고, -p는 암호이고, mysql은 데이터베이스명이다.

다음 명령어를 사용하여 samp_db 데이터베이스를 생성한다.

```
〉 CREATE DATABASE samp_db;
```

샘플 데이터베이스 samp_db를 생성하는 명령어로 MySQL 명령어 마지막을 표현하는 세미콜론을 한다.

① MySQL 관리자가 MySQL 서버에 접속한다.

Terminal	
1	# ./mysql -u root -p mysql

-u : 슈퍼 사용자, -p : 비밀번호, mysql : 데이터베이스명

```
[root@localhost bin]# ./mysql -u root -p mysql
Enter password:
Reading table information for completion of table and column names
You can turn off this feature to get a quicker startup with -A

Welcome to the MySQL monitor.  Commands end with ; or \g.
Your MySQL connection id is 2
Server version: 5.0.33 Source distribution

Type 'help;' or '\h' for help. Type '\c' to clear the buffer.
```

② samp_db 샘플 데이터베이스를 생성한다.

Terminal	
1	〉 CREATE DATABASE samp_db;

```
mysql> CREATE DATABASE samp_db;
Query OK, 1 row affected (0.00 sec)

mysql>
```

③ MySQL 서버의 모든 데이터베이스를 보여준다. 'samp_db' 데이터베이스가 생성되어 있는 걸 확인할 수 있다.

Terminal	
1	〉 SHOW DATABASES;

```
mysql> SHOW DATABASES;
+--------------------+
| Database           |
+--------------------+
| information_schema |
| menagerie          |
| mysql              |
| samp_db            |
| test               |
+--------------------+
5 rows in set (0.00 sec)

mysql>
```

위의 수행 결과에서 명령어 결과 값을 살펴보면 데이터베이스 samp_db가 생성되어 있는 것을 볼 수 있다. MySQL 명령어 중에 반드시 마지막에 세미콜론을 안 붙여도 가능한 명령어가 몇 개 있다. USE, HELP가 이 경우 해당하는 데, USE는 데이터베이스를 바꾸는 데 사용하는 명령어이고, HELP는 MySQL 작업을 할 때 의문사항이 생기면 참고 할 수 있는 도움말 기능이다.

다음은 MySQL 서버 관리자 권한으로 MySQL 서버에 접속을 한 후, 데이터베이스명을 생성하는 예이다.

④ MySQL 서버에서 사용 중인 데이터베이스를 보여준다.

Terminal	
1	〉 SELECT DATABASE();

```
mysql> SELECT DATABASE();
+------------+
| DATABASE() |
+------------+
| mysql      |
+------------+
1 row in set (0.00 sec)

mysql>
```

현재, MySQL 서버에서 사용 중인 데이터베이스는 'mysql'이므로, mysql에서 새로 생성한 'samp_db' 데이터베이스로 바꾸어 사용하기로 한다.

① USE 명령을 사용하여 사용할 데이터베이스를 변경한다.

Terminal

```
1    〉USE samp_db
```

```
mysql> USE samp_db
Database changed
mysql>
```

MySQL 사용자는 지금부터 'samp_db' 데이터베이스를 사용한다.

② SELECT 명령으로 현재 사용 중인 데이터베이스를 확인하여 보자.

Terminal

```
1    〉SELECT DATABASE();
```

```
mysql> SELECT DATABASE();
+------------+
| DATABASE() |
+------------+
| samp_db    |
+------------+
1 row in set (0.00 sec)

mysql>
```

③ 리눅스 프롬프트상에서 samp_db를 선택하여 MySQL서버에 접속해 보도록 하자.

Terminal

```
1    # ./mysql -u root -p samp_db
```

```
[root@localhost bin]# ./mysql -uroot -p samp_db
Enter password:
Welcome to the MySQL monitor.  Commands end with ; or \g.
Your MySQL connection id is 5
Server version: 5.0.33 Source distribution

Type 'help;' or '\h' for help. Type '\c' to clear the buffer.

mysql> select database();
+------------+
| database() |
+------------+
| samp_db    |
+------------+
1 row in set (0.00 sec)

mysql>
```

8장. 테이블 생성하는 명령어

8.1 리눅스 운영체제에서 MySQL 테이블 생성

명령어를 입력하는 방법을 알았다면, 일단 데이터베이스에 접근할 준비가 된 것으로 볼 수 있다. 본 장에서는 데이터베이스 생성, 레코드 생성, 외부에서 테이블을 불러오는 방법 등 테이블 생성에 대한 기초적인 문법을 알아본다.

생성한 데이터베이스 samp_db를 이용하여 테이블을 다루는 법에 대해서 알아본다.

mysql 데이터베이스를 선택하여 MySQL을 접속해 보도록 하자.

Terminal

```
1    # ./mysql -u root -p mysql
```

```
[root@localhost bin]# ./mysql -u root -p mysql
Enter password:
Reading table information for completion of table and column names
You can turn off this feature to get a quicker startup with -A

Welcome to the MySQL monitor.  Commands end with ; or \g.
Your MySQL connection id is 2
Server version: 5.0.33 Source distribution

Type 'help;' or '\h' for help. Type '\c' to clear the buffer.
```

MySQL서버에 접속했으면 현재 생성되어 있는 데이터베이스들을 살펴볼 수 있다.

Terminal

```
1    > SHOW DATABASES;
```

```
mysql> SHOW DATABASES;
+--------------------+
| Database           |
+--------------------+
| information_schema |
| menagerie          |
| mysql              |
| samp_db            |
| test               |
+--------------------+
5 rows in set (0.00 sec)

mysql>
```

현재 생성되어 있는 information_schema, menagerie, mysql 등 여러 데이터베이스를 확인할 수 있다. 실제로 이 데이터베이스들을 사용하려면 테이블을 생성하여야 한다. 테이블을 생성하기 위해서는 CREATE TABLE 이라는 명령어를 사용한다. samp_db 데이터베이스를 선택한 후 테이블을 생성해보자.

Terminal

```
1  〉USE samp_db
```

```
mysql> USE samp_db
Database changed
mysql>
```

테이블을 생성한다. 테이블 명을 class로 하고, class 테이블을 간단하게 학생 명단을 나열할 수 있는 테이블이다.

Terminal

```
1  〉CREATE TABLE class(number VARCHAR(3), name VARCHAR(20),
2  〉sex CHAR(1));
```

```
mysql>
mysql> CREATE TABLE class(number VARCHAR(3), name VARCHAR(20),
    -> sex CHAR(1));
Query OK, 0 rows affected (0.01 sec)

mysql>
```

설명

class 테이블은 varchar 컬럼타입 number, name 2개의 컬럼과 char 타입인 sex 컬럼으로 구성된다. VARCHAR(n)는 데이터를 최대 n개 까지 입력할 수 있고, sex는 성별 데이터이며, 최대 1개 문자로 요약하여 적을 수 있다.

테이블의 구조와 컬럼 형식을 다시 확인해 보도록 하자. DESCRIBE [테이블명] 명령어는 테이블의 구조와 컬럼 형식을 출력하는 명령어이다. (DESC는 DESCRIBE의 명령어를 짧게 줄인 명령어이다.)

Terminal

```
1  〉 DESC class;
```

```
mysql> DESC class;
+--------+-------------+------+-----+---------+-------+
| Field  | Type        | Null | Key | Default | Extra |
+--------+-------------+------+-----+---------+-------+
| number | varchar(3)  | YES  |     | NULL    |       |
| name   | varchar(20) | YES  |     | NULL    |       |
| sex    | char(1)     | YES  |     | NULL    |       |
+--------+-------------+------+-----+---------+-------+
3 rows in set (0.00 sec)

mysql>
```

설명

DESC 명령어는 선택한 테이블의 구조와 컬럼 형식을 한 눈에 알아볼 수 있게 출력해준다. 테이블에 레코드를 삽입할 경우 테이블의 구조와 동일한 형태로 입력하기 때문에, 다른 관리자의 데이터베이스나 오랫동안 사용하지 않았던 데이터베이스를 사용할 때 편리하게 테이블 구조와 컬럼 형식을 확인 할 수 있다.

테이블 삭제는 DROP TABLE [테이블명] 명령어를 사용한다.

Terminal

```
1  〉 DROP TABLE class;
```

```
mysql> DROP TABLE class;
Query OK, 0 rows affected (0.00 sec)

mysql>
```

class 테이블이 삭제되었다. 하지만 현재 상황으로는 테이블이 삭제되었는지 확인할 수가 없다. SHOW TABLES 명령어를 사용하여 samp_db 데이터베이스 내에 있는 테이블들을 살펴보도록 하자.

Terminal

```
1 〉 SHOW TABLES;
```

```
mysql> SHOW TABLES;
Empty set (0.01 sec)

mysql>
```

데이터베이스 내의 테이블들이 하나도 없음을 확인 할 수 있다. 테이블을 생성하였으나, 현재는 테이블은 형식만 만들어졌을 뿐, 레코드들의 입력은 이루어지지 않았다.

레코드의 입력은 INSERT 문을 사용하여 삽입할 수 있다. (레코드를 다루는 법은 다음 장에서 자세히 설명할 것이나, 이 장에서 간단히 다루어 보도록 하자).

Terminal

```
1 〉 INSERT INTO class VALUES('1','정민용‘,'m');
```

```
mysql> INSERT INTO class VALUES('1','정민용','m');
Query OK, 1 row affected (0.00 sec)

mysql>
```

삽입한 레코드는 SELECT 문을 통하여 레코드를 확인할 수 있다.

Terminal

```
1 〉 SELECT * FROM class;
```

```
mysql> SELECT * FROM class;
+-------+-------+-----+
| number | name   | sex |
+-------+-------+-----+
| 1      | 정민용 | m   |
+-------+-------+-----+
1 row in set (0.00 sec)

mysql>
```

8.2 vi 편집기를 이용해서 테이블과 레코드 생성하기

앞에서 INSERT 문을 사용하여 레코드를 삽입하는 방법을 알아보았다. INSERT 문을 사용하여 레코드를 삽입하는 경우 한 레코드씩 삽입해야 하는 번거로움이 있고, 데이터베이스를 비정상적으로 잃어 버렸을 때 레코드 하나씩 다시 입력해야하는 과정이 필요하다. 이 과정에서 대량의 레코드를 복구하는 경우 어려움이 클 수 있을 것이다. 이런 경우를 고려하여 외부에서 레코드를 작성해 놓고 MySQL 서버에 호출하여 사용하는 방법이 있다. 서버 불안정이나 기타 상황으로 사라져 버린 레코드들을 순식간에 복구할 수 있는 효율적인 방법인 것이다.

vi편집기를 사용하여 테이블과 레코드를 생성하는 방법에 대해서 알아보자.

설명

vi는 입력 모드와 명령어 모드 그리고 행 모드의 세 가지 형태로 구성되어 있다. 입력모드는 일반적은 텍스트 편집기와 같이 원하는 문자를 입력할 수 있는 상태를 말하고, 명령어 모드는 입력한 내용을 편집하기 위해서 다양한 편집 관련 명령어를 사용 할 수 있는 상태를 의미 한다. 따라서 입력 모드에서는 문자의 입력만이 가능하며 문단의 재구성과 삽입, 삭제 등의 편집 기능은 오직 명령어 모드에서만 사용할 수 있다.

vi를 실행한 직후에는 명령어 모드에 위치하게 되며 i(insert)나 a(append), o(open)를 입력하거나 〈Insert〉 키를 이용해서 입력 모드로 전환할 수 있다. 입력모드에서 명령어 모드로 복귀할 때는 〈Esc〉키만을 사용한다. 〈Esc〉vi는 입력 모드와 명령어 모드 이외에 행 모드를 추가로 갖고 있는데, 이는 쉘 명령어나 외부 프로그램들을 편집기의 내부에서 직접 실행 시킬 수 있는 모드이다. 행 모드는 vi의 본체인 ex가 실행되는 상태이므로 보다 원초적인 텍스트 조작이 가능해진다.

vi편집기를 사용하기 위해서 우선 리눅스 프롬프트 창을 띄운다. MySQL의 접속을 종료하기 위해선 quit 명령어를 사용한다.

Terminal

```
1    > quit
```

samp_db 데이터베이스 내에 class 테이블이 있으므로, vi편집기로 작성한 레코드를 class 테이블에 삽입해보자. class 테이블에 레코드를 삽입하기 위해서는 vi편집기로 작성한 sql 파일이 /usr/local/mysql/bin 경로에 위치하여야 한다. 이 위치에 있지 않으면 MySQL 서버로 레코드를 호출할 수가 없기 때문이다.

Terminal

```
1    # vi class.sql
```

```
[root@localhost bin]# vi class.sql
```

vi편집기를 사용하여 sql파일을 열어보면 아무것도 삽입되어 있지 않은 빈파일이 생성된다. 이 빈 파일 내에 INSERT 문을 사용하여 레코드를 삽입한다.

Terminal

```
1    INSERT INTO class VALUES('2','김태희','f');
2    INSERT INTO class VALUES('3','윤민재','f');
3    INSERT INTO class VALUES('4','오혜정','f');
4    INSERT INTO class VALUES('5','하대승','m');
5    INSERT INTO class VALUES('6','나경환','m');
6    INSERT INTO class VALUES('7','김소정','f');
```

```
INSERT INTO class VALUES('2','김태희','f');
INSERT INTO class VALUES('3','윤민재','f');
INSERT INTO class VALUES('4','오혜정','f');
INSERT INTO class VALUES('5','하대승','m');
INSERT INTO class VALUES('6','나경환','m');
INSERT INTO class VALUES('7','김소정','f');
```

입력을 마치면 이제 MySQL서버에 접속하여 레코드를 불러온다. 레코드를 불러오기 위해서는 다음과 같은 명령어를 입력하여야 한다.

Terminal

```
1    ./mysql -u root -p samp_db < class.sql;
```

```
[root@localhost bin]# ./mysql -uroot -p samp_db < class.sql;
Enter password:
[root@localhost bin]#
```

설명

사용자 : root, 데이터베이스명 : samp_db, 서버 전송 파일 : class.sql

Enter password : (비밀번호)를 입력한다.

MySQL 서버에 접속하여 samp_db 데이터베이스 내에 class.sql 파일을 전송했다. 실제로 확인하기 위해서는 직접 서버에 접속해야 한다. MySQL 서버에 접속해서 samp_db 데이터베이스의 class 테이블을 확인해 보자.

Terminal

```
1    > USE samp_db
```

```
mysql> USE samp_db
Database changed
mysql>
```

samp_db 데이터베이스를 선택한 후 SELECT 문을 사용하여 레코드의 삽입을 확인해 보자.

Terminal

1	〉SELECT * FROM class;

```
mysql> SELECT * FROM class;
+-------+-------+-----+
| number | name  | sex |
+-------+-------+-----+
| 1     | 정민용 | m   |
| 2     | 김태희 | f   |
| 3     | 윤민재 | f   |
| 4     | 오혜정 | f   |
| 5     | 하대승 | m   |
| 6     | 나경환 | m   |
| 7     | 김소정 | f   |
+-------+-------+-----+
7 rows in set (0.00 sec)

mysql>
```

기존에 삽입 하였던 1번 레코드 이외에 vi 편집기를 사용하여 작성해 놓았던 나머지 레코드도 삽입되어 있는 것을 확인할 수 있다.

vi 편집기는 레코드들의 삽입뿐만 아니라, 테이블 생성에도 쓰이기 때문에 MySQL 서버에 접속하여 직접 테이블을 생성하거나, 레코드를 입력 할 때 보다 효율적으로 사용할 수 있다.

다음 애완동물센터 테이블을 vi 편집기를 사용하여 작성하여 보자.
파일명은 pet.sql로 정하고 파일생성위치는 /usr/local/mysql/bin에 위치한다.

Terminal

```
1	CREATE TABLE pet(
2	name VARCHAR(20),
3	owner VARCHAR(20),
4	species VARCHAR(20),
5	sex CHAR(1),
6	birth DATE,
7	
8	death DATE);
9	INSERT INTO pet VALUES('Puffball','Min-Yong','hamster','m',
10	'2006-08-06-18',NULL);
11	INSERT INTO pet VALUES('Banny','Tae-Hee','rabbit','f',
12	'2007-02-11',NULL);
13	INSERT INTO pet VALUES('Nero','Dea-Seung','dog','f',
14	'2005-12-30','2009-03-09');
15	INSERT INTO pet VALUES('JangGun','Min-Yong','m',
16	'2007-01-23',NULL);
17	INSERT INTO pet VALUES('Pony','Dea-Seung','bird','m',
18	'2009-05-30',NULL);
19	INSERT INTO pet VALUES('Ruru','Min-Yong','cat','m',
20	'2008-05-05',NULL);
21	INSERT INTO pet VALUES('Hade','Dea-Seung,',bird','f',
22	'2005-03-08','2008-08-11');
23	INSERT INTO pet VALUES('Bobo','SoJung','dog','m',
24	'2008-04-15',NULL);
25	INSERT INTO pet VALUES('Spark','Tae-Hee','cat','f',
26	'2006-01-01','2009-08-27');
27	INSERT INTO pet VALUES('Kiki','So-Jung','cat','f'
28	'2007-09-19',NULL);
```

```
CREATE TABLE pet(
name VARCHAR(20),
owner VARCHAR(20),
species VARCHAR(20),
sex CHAR(1),
birth DATE,
death DATE);

INSERT INTO pet VALUES('Puffball','Min-Yong','hamster','m','2006-06-18',NULL);
INSERT INTO pet VALUES('Banny','Tae-Hee','rabbit','f','2007-02-11',NULL);
INSERT INTO pet VALUES('Nero','Dea-Seung','dog','f','2005-12-30','2009-03-09');
INSERT INTO pet VALUES('JangGun','Min-Yong','dog','m','2007-01-23',NULL);
INSERT INTO pet VALUES('Pony','Dea-Seung','bird','m','2009-5-30',NULL);
INSERT INTO pet VALUES('Ruru','Min-Yong','cat','m','2008-05-05',NULL);
INSERT INTO pet VALUES('Hade','Dea-Seung','bird','f','2005-03-08','2008-08-11');
INSERT INTO pet VALUES('Bobo','So-Jung','dog','m','2008-04-15',NULL);
INSERT INTO pet VALUES('Spark','Tae-Hee','cat','f','2006-01-01','2009-8-27');
INSERT INTO pet VALUES('Kiki','So-Jung','cat','f','2007-09-19',NULL);
```

위의 pet.sql 파일을 생성한 후 class.sql 파일과 동일한 형식으로 MySQL 서버에 접속하여 파일을 호출할 수 있다.

파일을 호출하기 이전에 먼저 MySQL 서버에 접속하여 pet 이라는 이름으로 데이터베이스를 생성하도록 하자.

Terminal	
1	〉 CREATE DATABASE pet;

```
mysql> CREATE DATABASE pet;
Query OK, 1 row affected (0.01 sec)

mysql>
```

pet.sql 파일을 MySQL서버에 접속하여 호출한다.

Terminal	
1	〉 ./mysql -u root -p pet 〈 pet.sql;

```
[root@localhost bin]# ./mysql -u root -p pet < pet.sql;
Enter password:
[root@localhost bin]#
```

SELECT 문을 사용하여 pet 테이블 안에 레코드가 삽입되어 있는지 확인한다.

Terminal	
1	〉 SELECT * FROM pet;

```
mysql> SELECT * FROM pet;
+----------+-----------+---------+-----+------------+------------+
| name     | owner     | species | sex | birth      | death      |
+----------+-----------+---------+-----+------------+------------+
| Puffball | Min-Yong  | hamster | m   | 2006-06-18 | NULL       |
| Banny    | Tae-Hee   | rabbit  | f   | 2007-02-11 | NULL       |
| Nero     | Dea-Seung | dog     | f   | 2005-12-30 | 2009-03-09 |
| JangGun  | Min-Yong  | dog     | m   | 2007-01-23 | NULL       |
| Pony     | Dea-Seung | bird    | m   | 2009-05-30 | NULL       |
| Ruru     | Min-Yong  | cat     | m   | 2008-05-05 | NULL       |
| Hade     | Dea-Seung | bird    | f   | 2005-03-08 | 2008-08-11 |
| Bobo     | So-Jung   | dog     | m   | 2008-04-15 | NULL       |
| Spark    | Tae-Hee   | cat     | f   | 2006-01-01 | 2009-08-27 |
| Kiki     | So-Jung   | cat     | f   | 2007-09-19 | NULL       |
+----------+-----------+---------+-----+------------+------------+
10 rows in set (0.00 sec)

mysql>
```

vi편집기를 사용하여 테이블 생성 및 레코드 삽입하는 방법을 충분히 익히도록 하자.

연습문제 EXERCISES

아래와 같은 데이터베이스가 있다고 할 때, 지시되는 데로 데이터를 입력, 수정하시오.

테이블 생성

```
1   CREATE TABLE pet(
2   name VARCHAR(20),
3   owner VARCHAR(20),
4   species VARCHAR(20),
5   sex CHAR(1),
6   birth DATE,
7   death DATE);
8
9
10  CREATE TABLE  bookstore(
11  number VARCHAR(20),
12  name VARCHAR(20),
13  company VARCHAR(20),
14  price int(20));
15
16
17
18  CREATE TABLE viedo(
19  code char(5),
20  title VARCHAR(20),
21  price int(20),
22  category CHAR(10),
23  date DATE,
24  company VARCHAR(20));,
25
26
```

8.1 ('merry', '강승하', 'dog', 'f', '2007-09-01', NULL) pet 에 데이터를 입력하는 질의어 작성하시오.

8.2 pet 테이블과 동일한 pet1 테이블을 생성하는 질의어를 작성하시오.(SELECT INTO 사용)

8.3 pet 테이블에 h_tel 컬럼을 추가하시오.

8.4 pet 테이블의 name 컬럼에 NOT NULL제약조건을 설정하시오.

8.5 bookstore 테이블의 price를 10% 하향 조정하는 질의어를 작성하시오.

8.6 bookstore 테이블의 price를 10% 상향 조정하는 질의어를 작성하시오.

8.7 ('yellow', '강명하', 'dog', 'm', '2009-09-01', NULL) pet 에 데이터를 입력하는 질의어 작성하시오.

9장. 테이블 사용하기

9.1 테이블의 사용

본 장에서는 테이블을 사용하기 위한 여러 가지 질의에 대해서 알아본다. 테이블에 레코드를 추가, 변경, 삭제하는 질의, SELECT 문을 사용한 질의 등에 대한 예제를 수행해본다.

pet 데이터베이스를 선택한다.

Terminal

```
1    > USE pet
```

```
mysql> USE pet
Database changed
mysql>
```

한 번에 한 개씩 새로운 레코드를 추가하고자 할 때에는 INSERT 명령문이 유용하다. INSERT 명령문을 입력할 때 레코드와 레코드 사이는 ,(콤마)로서 구별하고, 레코드는 '(작은따옴표)로 구별한다.

Terminal

```
1    > INSERT INTO pet VALUES('red','Min-Yong','cat','f',
2    '2009-09-10',NULL);
```

```
mysql> INSERT INTO pet VALUES('red','Min-Yong','cat','f','2009-09-10',NULL);
Query OK, 1 row affected (0.01 sec)

mysql>
```

다음과 같이 간단한 형태의 SELECT 명령문을 사용해서 테이블에서 모든 정보를 가져올 수 있다. 이와 같이 입력한 레코드들은 pet 테이블에 저장된다. 만약 잘못된 정보나 삭제해야 될 내용이 있다면 DELETE 나 UPDATE 명령문을 사용하여 수정할 수 있다.

```
Terminal
1    > SELECT * FROM pet;
```

```
mysql> SELECT * FROM pet;
+----------+-----------+---------+-----+------------+------------+
| name     | owner     | species | sex | birth      | death      |
+----------+-----------+---------+-----+------------+------------+
| Puffball | Min-Yong  | hamster | m   | 2006-06-18 | NULL       |
| Banny    | Tae-Hee   | rabbit  | f   | 2007-02-11 | NULL       |
| Nero     | Dea-Seung | dog     | f   | 2005-12-30 | 2009-03-09 |
| JangGun  | Min-Yong  | dog     | m   | 2007-01-23 | NULL       |
| Pony     | Dea-Seung | bird    | m   | 2009-05-30 | NULL       |
| Ruru     | Min-Yong  | cat     | m   | 2008-05-05 | NULL       |
| Hade     | Dea-Seung | bird    | f   | 2005-03-08 | 2008-08-11 |
| Bobo     | So-Jung   | dog     | m   | 2008-04-15 | NULL       |
| Spark    | Tae-Hee   | cat     | f   | 2006-01-01 | 2009-08-27 |
| Kiki     | So-Jung   | cat     | f   | 2007-09-19 | NULL       |
| red      | Min-Yong  | cat     | f   | 2009-09-10 | NULL       |
+----------+-----------+---------+-----+------------+------------+
11 rows in set (0.00 sec)

mysql>
```

기존에 있던 10개의 레코드 이 외에 한 개의 레코드가 더 추가되었음을 확인할 수 있다.

레코드의 삭제는 DELETE 문을 이용하여 삭제한다.

```
Terminal
1    > DELETE FROM pet WHERE name = 'red';
```

```
mysql> DELETE FROM pet WHERE name = 'red';
Query OK, 1 row affected (0.00 sec)

mysql>
```

DELETE 문을 이용해서 이름이 red 라는 애완동물의 레코드를 삭제한다. SELECT 문을 사용하여 정확히 삭제되었는지 확인해 볼 수 있다.

```
Terminal
1    > SELECT * FROM pet;
```

```
mysql> SELECT * FROM pet;
+----------+-----------+---------+-----+------------+------------+
| name     | owner     | species | sex | birth      | death      |
+----------+-----------+---------+-----+------------+------------+
| Puffball | Min-Yong  | hamster | m   | 2006-08-22 | NULL       |
| Banny    | Tae-Hee   | rabbit  | f   | 2007-02-11 | NULL       |
| Nero     | Dea-Seung | dog     | f   | 2005-12-30 | 2009-03-09 |
| JangGun  | Min-Yong  | dog     | m   | 2007-01-23 | NULL       |
| Pony     | Dea-Seung | bird    | f   | 2009-05-30 | NULL       |
| Ruru     | Min-Yong  | cat     | m   | 2008-05-05 | NULL       |
| Hade     | Dea-Seung | bird    | f   | 2005-03-08 | 2008-08-11 |
| Bobo     | So-Jung   | dog     | m   | 2008-04-15 | NULL       |
| Spark    | Tae-Hee   | cat     | f   | 2006-01-01 | 2009-08-27 |
| Kiki     | So-Jung   | cat     | f   | 2007-09-19 | NULL       |
+----------+-----------+---------+-----+------------+------------+
10 rows in set (0.00 sec)

mysql>
```

WHERE 절의 조건문을 추가하지 않고 pet 테이블을 삭제하면, 테이블 전체가 삭제된다. 삭제 명령어를 사용하는 경우에는 주의해야 한다.

Terminal
1 〉 DELETE FROM pet;

```
mysql> DELETE FROM pet;
Query OK, 11 rows affected (0.00 sec)

mysql>
```

SELECT 문을 사용하여 테이블이 삭제되었는지 확인해 보자.

Terminal
1 〉 SELECT * FROM pet;

```
mysql> SELECT * FROM pet;
Empty set (0.00 sec)

mysql>
```

기존에 삽입한 레코드들은 전부 삭제되고, 테이블에 어떤 레코드도 없다는 Empty

set 문장이 출력된다.

9.2 UPDATE 문 사용하기

UPDATE 명령문은 입력했던 정보를 수정할 때 사용하는 명령문이다. 예를 들어 Min-Yong의 펫인 Puffball의 생년월일이 잘못 입력되었다면, UPDATE 명령문을 사용하여 수정할 수가 있다.

UPDATE 문을 사용하기 전 pet 테이블의 레코드는 다음과 같다.

```
+----------+-----------+---------+-----+------------+------------+
| name     | owner     | species | sex | birth      | death      |
+----------+-----------+---------+-----+------------+------------+
| Puffball | Min-Yong  | hamster | m   | 2006-06-18 | NULL       |
| Banny    | Tae-Hee   | rabbit  | f   | 2007-02-11 | NULL       |
| Nero     | Dea-Seung | dog     | f   | 2005-12-30 | 2009-03-09 |
| JangGun  | Min-Yong  | dog     | m   | 2007-01-23 | NULL       |
| Pony     | Dea-Seung | bird    | m   | 2009-05-30 | NULL       |
| Ruru     | Min-Yong  | cat     | m   | 2008-05-05 | NULL       |
| Hade     | Dea-Seung | bird    | f   | 2005-03-08 | 2008-08-11 |
| Bobo     | So-Jung   | dog     | m   | 2008-04-15 | NULL       |
| Spark    | Tae-Hee   | cat     | f   | 2006-01-01 | 2009-08-27 |
| Kiki     | So-Jung   | cat     | f   | 2007-09-19 | NULL       |
```

다음의 UPDATE 문을 사용하여 Puffball의 생년월일을 변경한다.

Terminal

```
1   > UPDATE pet SET birth = '2006-08-22'
2   > WHERE name = 'Puffball';
```

```
mysql> UPDATE pet SET birth = '2006-08-22' WHERE name ='Puffball';
Query OK, 1 row affected (0.00 sec)
Rows matched: 1  Changed: 1  Warnings: 0

mysql>
```

설명

UPDATE [테이블명] SET [컬럼] = [변경할 컬럼]
WHERE [조건]

SELECT 문을 사용하여 Puffball의 생년월일이 변경되었음을 확인한다.

Terminal

```
1    > SELECT * FROM pet;
```

```
mysql> SELECT * FROM pet;
+----------+-----------+---------+-----+------------+------------+
| name     | owner     | species | sex | birth      | death      |
+----------+-----------+---------+-----+------------+------------+
| Puffball | Min-Yong  | hamster | m   | 2006-08-22 | NULL       |
| Banny    | Tae-Hee   | rabbit  | f   | 2007-02-11 | NULL       |
| Nero     | Dea-Seung | dog     | f   | 2005-12-30 | 2009-03-09 |
| JangGun  | Min-Yong  | dog     | m   | 2007-01-23 | NULL       |
| Pony     | Dea-Seung | bird    | m   | 2009-05-30 | NULL       |
| Ruru     | Min-Yong  | cat     | m   | 2008-05-05 | NULL       |
| Hade     | Dea-Seung | bird    | f   | 2005-03-08 | 2008-08-11 |
| Bobo     | So-Jung   | dog     | m   | 2008-04-15 | NULL       |
| Spark    | Tae-Hee   | cat     | f   | 2006-01-01 | 2009-08-27 |
| Kiki     | So-Jung   | cat     | f   | 2007-09-19 | NULL       |
+----------+-----------+---------+-----+------------+------------+
10 rows in set (0.00 sec)

mysql>
```

UPDATE문은 여러 가지 컬럼을 조건으로 사용할 수가 있다. 생년월일이 2009-05-30인 애완동물을 찾아 성별을 바꿔 보자.

Terminal

```
1    > UPDATE pet SET sex = 'f' WHERE birth = '2009-05-30';
```

```
mysql> UPDATE pet SET sex = 'f' WHERE birth = '2009-05-30';
Query OK, 1 row affected (0.00 sec)
Rows matched: 1  Changed: 1  Warnings: 0

mysql>
```

설명

UPDATE 문을 사용 시 주의할 점은 조건을 추가하는 경우, 고유한 데이터를 사용해야 한다는 것이다. 예를 들어 주인 'Min-Yong'이 애완동물을 찾아 생년월일을 변경하는 경우, 'Min-Yong'이 소유한 모든 애완동물들의 레코드가 변경된다. 다시 말해서 원하지 않는 레코드들의 변경이 발생할 수 있다는 것이다. 따라서 사용자는 컬럼의 본질을 잘 이해하고, 상황에 맞는 조건을 사용해야 한다.

SELECT 문을 사용하여 생년월일이 2009-05-30인 애완동물의 성별이 변경되었음을 확인한다.

```
mysql> SELECT * FROM pet;
+----------+----------+---------+-----+------------+------------+
| name     | owner    | species | sex | birth      | death      |
+----------+----------+---------+-----+------------+------------+
| Puffball | Min-Yong | hamster | m   | 2006-08-22 | NULL       |
| Banny    | Tae-Hee  | rabbit  | f   | 2007-02-11 | NULL       |
| Nero     | Dea-Seung| dog     | f   | 2005-12-30 | 2009-03-09 |
| JangGun  | Min-Yong | dog     | m   | 2007-01-23 | NULL       |
| Pony     | Dea-Seung| bird    | f   | 2009-05-30 | NULL       |
| Ruru     | Min-Yong | cat     | m   | 2008-05-05 | NULL       |
| Hade     | Dea-Seung| bird    | f   | 2005-03-08 | 2008-08-11 |
| Bobo     | So-Jung  | dog     | m   | 2008-04-15 | NULL       |
| Spark    | Tae-Hee  | cat     | f   | 2006-01-01 | 2009-08-27 |
| Kiki     | So-Jung  | cat     | f   | 2007-09-19 | NULL       |
+----------+----------+---------+-----+------------+------------+
10 rows in set (0.00 sec)

mysql>
```

UPDATE 문의 잘못된 사용에 대한 예를 보도록 하자. 아래의 UPDATE 문은 주인 'Min-Yong'이 애완동물인 'JangGun'의 성별을 'f'로 바꾸기 위한 질의 문이다.

Terminal	
1	〉 UPDATE pet SET sex = 'f' WHERE owner = 'Min-Yong';

```
mysql> UPDATE pet SET sex = 'f' WHERE owner = 'Min-Yong';
Query OK, 0 rows affected (0.00 sec)
Rows matched: 3  Changed: 0  Warnings: 0

mysql>
```

세 번째 줄의 "Rows matched : 3"을 보면 3개의 레코드가 UPDATE 문에 영향을 받았음을 알 수 있다. 'Jang-Gun'의 성별을 변경하고자 하였으나 'Min-Yong'의 애완동물인 나머지 동물들도 영향을 받았음을 의미한다.

SELECT 문을 사용하여 확인하여 보자.

Terminal

```
1    > SELECT * FROM pet;
```

```
mysql> SELECT * FROM pet;
+----------+------------+---------+-----+------------+------------+
| name     | owner      | species | sex | birth      | death      |
+----------+------------+---------+-----+------------+------------+
| Puffball | Min-Yong   | hamster | f   | 2006-08-22 | NULL       |
| Banny    | Tae-Hee    | rabbit  | f   | 2007-02-11 | NULL       |
| Nero     | Dea-Seung  | dog     | f   | 2005-12-30 | 2009-03-09 |
| JangGun  | Min-Yong   | dog     | f   | 2007-01-23 | NULL       |
| Pony     | Dea-Seung  | bird    | f   | 2009-05-30 | NULL       |
| Ruru     | Min-Yong   | cat     | f   | 2008-05-05 | NULL       |
| Hade     | Dea-Seung  | bird    | f   | 2005-03-08 | 2008-08-11 |
| Bobo     | So-Jung    | dog     | m   | 2008-04-15 | NULL       |
| Spark    | Tae-Hee    | cat     | f   | 2006-01-01 | 2009-08-27 |
| Kiki     | So-Jung    | cat     | f   | 2007-09-19 | NULL       |
+----------+------------+---------+-----+------------+------------+
10 rows in set (0.00 sec)

mysql>
```

'MinYong'이 소유한 모든 애완동물의 성별이 'f'로 변경되었음을 확인할 수 있다. 원하는 레코드인 'Jang-Gun'의 성별이 'f'로 변경되긴 하였지만, 나머지 원하지 않는 레코드의 성별까지 변경되어 버린 것이다.

'Min-Yong'이 소유한 애완동물인 'Jang-Gun'의 성별만을 변경하기 위해서는 조건을 'Min-Yong'이 소유한 애완동물이 아니라 애완동물의 이름인 'Jang-Gun'으로 찾아야 한다. where 조건절을 작성하는 방법에 따라 다양한 결과를 산출할 수 있다.

9.3 다중 데이터를 지정한 컬럼에 저장하기

테이블에서 많은 데이터를 지정한 컬럼에 저장하면 데이터 관리를 보다 효율적으로 할 수 있다.

설명

문법)
INSERT INTO 테이블명 (컬럼1, 컬럼2, 컬럼3, ...) VALUES
(데이터1, 데이터2, 데이터3, ...);

다중 데이터를 지정한 컬럼에 저장하는 법을 알아보기 위해, store 라는 데이터베이스를 생성하도록 하자.

Terminal

```
1    > CREATE DATABASE store;
```

```
mysql> CREATE DATABASE store;
Query OK, 1 row affected (0.00 sec)

mysql>
```

리눅스 프롬프트 창으로 이동한 후 미리 생성되어 있는 bookstore.sql 파일을 MySQL 서버로 호출 한다.

Terminal

```
1    # ./mysql -u root -p store < bookstore.sql
```

```
[root@localhost bin]# ./mysql -uroot -p store < bookstore.sql
Enter password:
[root@localhost bin]#
```

MySQL 서버에 접속하여 호출한 bookstore.sql의 레코드를 확인해 보자.

Terminal

```
1    > SELECT * FROM bookstore;
```

```
mysql> SELECT * FROM bookstore;
+-------+-----------------+--------+
| number | name            | company |
+-------+-----------------+--------+
| 1      | computer graphics | HANBIT  |
| 2      | oracle SQL        | SciTech |
+-------+-----------------+--------+
2 rows in set (0.01 sec)

mysql>
```

bookstore 테이블은 서점에서 쓸 수 있는 아주 간단한 컬럼들로 구성되어 있다. 테이블의 컬럼은 number(책의 개수), name(책 이름), company(출판사명) 세 가지로 구성되어 있다. 다중 데이터를 이용해서 레코드를 삽입하여 보자.

Terminal

```
1 〉 INSERT INTO bookstore (number, name, company)
2 〉 VALUES ('3','computer network','HANBIT');
```

```
mysql> INSERT INTO bookstore (number, name, company)
    -> VALUES ('3','computer network','HANBIT');
Query OK, 1 row affected (0.00 sec)

mysql>
```

bookstore 테이블의 number 컬럼에는 책 개수 번호인 '3'이 들어가고, name 컬럼에는 책 이름인 'computer network'가 들어가고, company 컬럼에는 출판사명인 'HANBIT'이 들어간다.

INSERT 명령에서 컬럼을 지정하지 않는 경우에는 테이블의 저장된 컬럼 순서대로만 데이터를 저장한다.

9.4 SET 컬럼명 = '데이터 값' 형식으로 테이블에 저장

MySQL 3.22.10 이후의 버전부터는 col_name = dat_value 형식으로 데이터 값을 테이블의 레코드에 추가한다.

설명

문법)
INSERT INTO 테이블명
SET 컬럼명1 = 데이터값1, 컬럼명2 = 데이터값2, ... ;

SET 컬럼명 = '데이터 값' 형식으로 레코드를 삽입하여 보자.

Terminal

```
1  > INSERT INTO bookstore
2  > SET number = '4', name = 'MySQL'
3  > , company = 'Jungic';
```

```
mysql> INSERT INTO bookstore
    -> SET number = '4', name = 'MySQL'
    -> , company = 'Jungic';
Query OK, 1 row affected (0.00 sec)

mysql>
```

bookstore 테이블에 레코드를 삽입할 때 number = '4', name = 'MySQL', company = 'Jungic'이 바로 삽입 된다. 주의할 점은 다음과 같다.

- SET절에서 컬럼 이름을 지정하지 않은 경우에는 기본 값으로 할당된다.
- INSERT 명령에서 SET 형식은 많은 데이터를 삽입할 수가 없다.

9.5 기존의 테이블에서 데이터 레코드를 불러오는 작업

테이블을 생성하고 난 뒤에 데이터를 테이블에 저장한 다음 데이터 값이 테이블에 잘 삽입되었는지를 조사한다. SELECT 명령을 사용해 테이블에서 불러온 데이터를 출력시킨다.

```
SELECT * FROM pet;
```

WHERE 조건문을 사용하여 질의 문이 실행된 결과의 데이터를 하나의 컬럼 또는 2개 이상의 컬럼으로 설정하여 출력시킨다.

```
SELECT owner, date FROM pet WHERE name = 'JangGun';
```

SELECT 명령은 몇 개의 WHERE 조건절에서 원하는 정보를 검색하여 불러온다. 각각의 조건절은 간단해지거나 복잡해질 수 있으므로, SELECT 명령은 간단하게 사용되기도 하고 또는 복잡하게 사용되기도 한다. 그러나 테이블에서 데이터를 검색하는 질의어 수행 시간이 1시간 이상이 소요가 되는 경우, 복잡한 질의어를 사용하지 않도록 하자.

SELECT의 일반적인 형식은 다음과 같다.

```
SELECT 검색 내용
FROM 테이블 또는 다중 테이블
WHERE 검색 조건
```

SQL은 형식이 없는 언어이다. 그래서 SELECT 질의어를 사용하는 경우에는 같은 명령어 행에 간격을 줄 필요는 없다. SELECT 명령을 사용하는 경우 어떤 데이터를 불러올 지를 지정한 후에 옵션 절에서 사용한다. 테이블을 지정한 산술 수식 계산 작업은 FROM 절을 생략한다.

아래의 질의어는 테이블을 사용하지 않고, "FROM 테이블"이 없는 명령어로 수식을 계산한다.

① MySQL 버전과 문자를 출력하고, 5와 5를 곱해 보자.

Terminal

```
1    > SELECT VERSION(), 5*5, "MySQL 학습하기";
```

```
mysql> SELECT VERSION(), 5*5, "MySQL 학습하기";
+-----------+-----+---------------+
| VERSION() | 5*5 | MySQL 학습하기 |
+-----------+-----+---------------+
| 5.0.33    |  25 | MySQL 학습하기 |
+-----------+-----+---------------+
1 row in set (0.02 sec)

mysql>
```

테이블에 저장된 데이터를 불러오는 질의어에서 FROM 절을 지정하는 경우는 일반적으로 SELECT의 형식 전체 컬럼을 불러온다. '*'을 사용하여 모든 컬럼을 간단하게 불러올 수 있다. 아래의 질의어로 video 테이블에서 모든 행들을 불러와서 출력하여 보자.

② video 테이블의 레코드를 모두 출력한다.

리눅스 프롬프트 창에서 video.sql 파일을 MySQL 서버로 호출하여 오자. 사용할 데이터베이스는 기존에 생성해 두었던 store 데이터베이스로 한다. # ./mysql -u root -p store < video.sql

Terminal	
1	〉 SELECT * FROM video;

```
mysql> SELECT * FROM video;
+------+-------------------+-------+----------+------------+-----------------
-+
| code | title             | price | category | date       | company
|
+------+-------------------+-------+----------+------------+-----------------
-+
| 0001 | 아이리스          | 13000 | 드라마    | 2009-09-11 | KBS
|
| 0002 | 선덕여왕          | 11000 | 드라마    | 2009-08-19 | MBC
|
| 0003 | 터미네이터4       | 15000 | SF       | 2009-05-21 | 마스엔터테인먼트
|
| 0004 | 굿모닝 프레지던트 | 15000 | 코미디    | 2009-10-22 | CJ엔터테인먼트
|
| 0005 | 김씨 표류기       | 15000 | 드라마    | 2009-05-14 | 반짝반짝영화사
|
| 0006 | 7급 공무원        | 15000 | 코미디    | 2009-04-22 | 롯데엔터테인먼트
|
| 0007 | 밴드 오브 브라더스 | 35000 | 전쟁드라마 | 2001-09-09 | HBO
|
| 0008 | 불신지옥          | 15000 | 공포      | 2009-08-12 | 쇼박스
|
+------+-------------------+-------+----------+------------+-----------------
```

MySQL 테이블에 저장된 순서대로 컬럼을 출력한다.

③ DESCRIBE video 명령을 실행시켜서 컬럼의 순서를 알 수 있다.

Terminal

```
1    > DESCRIBE video;
```

```
mysql> DESCRIBE video;
+----------+-------------+------+-----+---------+-------+
| Field    | Type        | Null | Key | Default | Extra |
+----------+-------------+------+-----+---------+-------+
| code     | char(5)     | YES  |     | NULL    |       |
| title    | varchar(20) | YES  |     | NULL    |       |
| price    | int(20)     | YES  |     | NULL    |       |
| category | char(10)    | YES  |     | NULL    |       |
| date     | date        | YES  |     | NULL    |       |
| company  | varchar(20) | YES  |     | NULL    |       |
+----------+-------------+------+-----+---------+-------+
6 rows in set (0.01 sec)

mysql>
```

④ video 테이블에서 title 컬럼의 데이터만 출력한다.

Terminal

```
1    > SELECT title FROM video;
```

```
mysql> SELECT title FROM video;
+------------------+
| title            |
+------------------+
| 아이리스          |
| 선덕여왕          |
| 터미네이터4       |
| 굿모닝 프레지던트 |
| 김씨 표류기       |
| 7급 공무원        |
| 밴드 오브 브라더스 |
| 불신지옥          |
+------------------+
8 rows in set (0.00 sec)

mysql>
```

2개 이상의 컬럼을 출력하는 경우에는 콤마(,)로 분리한다. 또한 각각의 컬럼을 정확하게 지정해야 한다.

⑤ video 테이블의 레코드를 title, price, category 컬럼만 출력한다.

Terminal

```
1    〉 SELECT title, price, category FROM video;
```

```
mysql> SELECT title, price, category FROM video;
+--------------------+-------+------------+
| title              | price | category   |
+--------------------+-------+------------+
| 아이리스           | 13000 | 드라마     |
| 선덕여왕           | 11000 | 드라마     |
| 터미네이터4        | 15000 | SF         |
| 굿모닝 프레지던트  | 15000 | 코미디     |
| 김씨 표류기        | 15000 | 드라마     |
| 7급 공무원         | 15000 | 코미디     |
| 밴드 오브 브라더스 | 35000 | 전쟁드라마 |
| 불신지옥           | 15000 | 공포       |
+--------------------+-------+------------+
8 rows in set (0.00 sec)

mysql>
```

⑥ video 테이블의 레코드의 모든 컬럼 중에서 category, title, code, date 컬럼의 순으로 출력한다.

Terminal

```
1    〉 SELECT category, title, code, date FROM video;
```

```
mysql> SELECT category, title, code, date FROM video;
+------------+--------------------+------+------------+
| category   | title              | code | date       |
+------------+--------------------+------+------------+
| 드라마     | 아이리스           | 0001 | 2009-09-11 |
| 드라마     | 선덕여왕           | 0002 | 2009-08-19 |
| SF         | 터미네이터4        | 0003 | 2009-05-21 |
| 코미디     | 굿모닝 프레지던트  | 0004 | 2009-10-22 |
| 드라마     | 김씨 표류기        | 0005 | 2009-05-14 |
| 코미디     | 7급 공무원         | 0006 | 2009-04-22 |
| 전쟁드라마 | 밴드 오브 브라더스 | 0007 | 2001-09-09 |
| 공포       | 불신지옥           | 0008 | 2009-08-12 |
+------------+--------------------+------+------------+
8 rows in set (0.00 sec)

mysql>
```

⑦ video 테이블의 레코드의 모든 컬럼 중에서 company, price, category, date, title 컬럼의 순으로 출력한다.

Terminal

```
1    > SELECT company, price, category, date, title FROM video;
```

```
mysql> SELECT company, price, category, date, title FROM video;
+------------------+-------+------------+------------+------------------+
| company          | price | category   | date       | title            |
+------------------+-------+------------+------------+------------------+
| KBS              | 13000 | 드라마     | 2009-09-11 | 아이리스         |
| MBC              | 11000 | 드라마     | 2009-08-19 | 선덕여왕         |
| 마스엔터테인먼트 | 15000 | SF         | 2009-05-21 | 터미네이터4      |
| CJ엔터테인먼트   | 15000 | 코미디     | 2009-10-22 | 굿모닝 프레지던트 |
| 반짝반짝영화사   | 15000 | 드라마     | 2009-05-14 | 김씨 표류기      |
| 롯데엔터테인먼트 | 15000 | 코미디     | 2009-04-22 | 7급 공무원       |
| HBO              | 35000 | 전쟁드라마 | 2001-09-09 | 밴드 오브 브라더스 |
| 쇼박스           | 15000 | 공포       | 2009-08-12 | 불신지옥         |
+------------------+-------+------------+------------+------------------+
8 rows in set (0.00 sec)

mysql>
```

이렇듯 SELECT 문에서는 컬럼의 입력 순서와 상관없이 원하는 컬럼만을 출력하거나 순서를 변경해서 출력할 수 있다. 또한 MySQL의 컬럼 이름은 대, 소문자를 구별하지 않으며, 다음 명령은 모두 같은 결과를 출력한다.

```
SELECT code, title, price, category FROM video;
SELECT CODE, TITLE, PRICE, CATEGORY FROM video;
SELECT coDe, TiTLe, pRiCe, CaTeGoRy FROM video;
```

이제, 위의 명령어 실행 결과가 모두 같은지 입력하여 출력해 보자.

① video 테이블에서 레코드의 컬럼 이름을 대문자로 적어 데이터를 출력해 보자.

Terminal

```
1    > SELECT CODE, TITLE, PRICE, CATEGORY FROM video;
```

```
mysql> SELECT CODE, TITLE, PRICE, CATEGORY FROM video;
+------+-------------------+-------+-----------+
| CODE | TITLE             | PRICE | CATEGORY  |
+------+-------------------+-------+-----------+
| 0001 | 아이리스           | 13000 | 드라마     |
| 0002 | 선덕여왕           | 11000 | 드라마     |
| 0003 | 터미네이터4        | 15000 | SF        |
| 0004 | 굿모닝 프레지던트   | 15000 | 코미디     |
| 0005 | 김씨 표류기        | 15000 | 드라마     |
| 0006 | 7급 공무원         | 15000 | 코미디     |
| 0007 | 밴드 오브 브라더스  | 35000 | 전쟁드라마  |
| 0008 | 불신지옥           | 15000 | 공포       |
+------+-------------------+-------+-----------+
8 rows in set (0.00 sec)

mysql>
```

② video 테이블에서 레코드의 컬럼 이름을 대문자와 소문자를 혼합하여 데이터를 출력해 보자.

Terminal

```
1  > SELECT coDe, TiTLe, pRiCe, CaTeGoRy FROM video;
```

```
mysql> SELECT coDe, TiTLe, pRiCe, CaTeGoRy FROM video;
+------+-------------------+-------+-----------+
| coDe | TiTLe             | pRiCe | CaTeGoRy  |
+------+-------------------+-------+-----------+
| 0001 | 아이리스           | 13000 | 드라마     |
| 0002 | 선덕여왕           | 11000 | 드라마     |
| 0003 | 터미네이터4        | 15000 | SF        |
| 0004 | 굿모닝 프레지던트   | 15000 | 코미디     |
| 0005 | 김씨 표류기        | 15000 | 드라마     |
| 0006 | 7급 공무원         | 15000 | 코미디     |
| 0007 | 밴드 오브 브라더스  | 35000 | 전쟁드라마  |
| 0008 | 불신지옥           | 15000 | 공포       |
+------+-------------------+-------+-----------+
8 rows in set (0.00 sec)

mysql>
```

데이터베이스와 테이블의 이름은 대, 소문자로 구별한다. 서버 호스트에 사용되는지는 파일 시스템에 의하여 문자가 구별된다. 유닉스 파일 시스템은 대, 소문자로 구별하므로 유닉스 서버에서 데이터베이스와 테이블 이름의 대, 소문자를 구별해서 사용해야 한다. 반면에 MS 윈도우즈는 대, 소문자를 구별하지 않으므로, MS 윈도우

즈 서버는 데이터베이스와 테이블 이름의 대, 소문자를 구별하지 않고 사용하여도 된다.

9.6 검색 조건으로 테이블의 데이터 값을 불러오는 작업

9.6.1 WHERE 절을 이용한 자료 검색

주어진 조건에 의하여 특정한 행만을 검색하자. 데이터 자료가 많아지면, SELECT 명령어를 이용하여 전체 자료를 출력하기가 어렵다. 테이블에 저장된 데이터양이 많아지면 전체 자료를 출력하기가 불가능하다. WHERE 조건절을 지정하여 조건에 맞는 자료를 검색하는 방법에 대해 알아본다.

WHERE 절을 이용한 SELECT 문의 일반적인 형식은 다음과 같다.

```
SELECT 검색 내용
FROM 테이블 또는 다중 테이블
WHERE 검색 조건
```

① 이름이 'Ruru'인 애완동물의 레코드를 검색하여 보자.

Terminal

```
1   > SELECT * FROM pet
2   > WHERE name = 'Ruru';
```

```
mysql> SELECT * FROM pet
    -> WHERE name = 'Ruru';
+------+----------+---------+------+------------+-------+
| name | owner    | species | sex  | birth      | death |
+------+----------+---------+------+------------+-------+
| Ruru | Min-Yong | cat     | m    | 2008-05-05 | NULL  |
+------+----------+---------+------+------------+-------+
1 row in set (0.00 sec)

mysql>
```

② 숫자를 검색 조건으로 지정하여도 주어진 조건에 의하여 자료를 찾을 수가 있다. 예를 들어 2008년 1월 1일 이후에 태어난 애완동물을 검색하려면, birth열을 검색해야 한다.

Terminal

```
1  〉SELECT * FROM pet
2  〉WHERE birth 〉= '2008-01-01';
```

```
mysql> SELECT * FROM pet
    -> WHERE birth >= '2008-01-01';
+------+-----------+---------+-----+------------+-------+
| name | owner     | species | sex | birth      | death |
+------+-----------+---------+-----+------------+-------+
| Pony | Dea-Seung | bird    | f   | 2009-05-30 | NULL  |
| Ruru | Min-Yong  | cat     | m   | 2008-05-05 | NULL  |
| Bobo | So-Jung   | dog     | m   | 2008-04-15 | NULL  |
+------+-----------+---------+-----+------------+-------+
3 rows in set (0.00 sec)

mysql>
```

③ pet 테이블에서 이름이 'JangGun'인 애완동물을 검색하여, owner와 species 컬럼의 데이터를 출력한다.

Terminal

```
1  〉SELECT owner, species FROM pet
2  〉WHERE name = 'JangGun';
```

```
mysql> SELECT owner, species FROM pet
    -> WHERE name = 'JangGun';
+----------+---------+
| owner    | species |
+----------+---------+
| Min-Yong | dog     |
+----------+---------+
1 row in set (0.00 sec)

mysql>
```

④ 스트링 데이터 값을 검색 조건으로 사용해 본다. 애완동물 중에서 종류가 개이면서 성별이 수컷인 동물을 찾고자 할 때에는 두 개의 조건을 동시에 사용해야 한다.

Terminal

```
1  > SELECT * FROM pet
2  > WHERE species = 'dog' AND sex = 'm';
```

```
mysql> SELECT * FROM pet
    -> WHERE species = 'dog' AND sex = 'm';
+---------+----------+---------+-----+------------+-------+
| name    | owner    | species | sex | birth      | death |
+---------+----------+---------+-----+------------+-------+
| JangGun | Min-Yong | dog     | m   | 2007-01-23 | NULL  |
| Bobo    | So-Jung  | dog     | m   | 2008-04-15 | NULL  |
+---------+----------+---------+-----+------------+-------+
2 rows in set (0.00 sec)

mysql>
```

WHERE절의 수식에서 산술 연산자를 사용한다. 아래의 테이블에는 산술 연산자를 보여준다.

- 테이블 : 산술 연산자(Arithmetic Operator)

연 산 자	설 명
+	덧 셈
−	뺄 셈
*	곱 셈
/	나 눗 셈

- 테이블 : 비교 연산자(Comparison Operator)

연 산 자	설 명
<	작 다.
<=	작거나 같다.
=	같 다.
!= 또는 <>	같지 않다.
>=	크거나 같다.
>	크 다.

논리 연산자를 사용하여 질의어를 만들어 보자. AND 연산자는 일생생활의 AND의 의미와 동일한 "그리고"이다.

애완동물 중에서 species이 고양이와 개인 동물을 검색하여 보자. AND 연산자를 사용하여 질의어를 만들어 보자. 아래의 질의어는 AND 연산자를 이용하여 만들었다.

- 테이블 : 논리 연산자(Logical Operator)

연 산 자	설 명
AND	논리곱
OR	논리합
NOT	논리부정(Negation)

```
SELECT * FROM pet
WHERE species = 'cat' AND species = 'dog';
```

위의 질의어는 "그리고"의 용어를 사용하여 표현한다. 'cat' 이면서 'dog'인 애완동물을 검색하라는 것이다. 이러한 질의어는 아무런 결과를 얻을 수 없다. 따라서, SQL에서는 OR 조건으로 최소한 하나의 조건이라도 만족하는 데이터를 검색한다.

```
SELECT * FROM pet
WHERE species = 'cat' OR species = 'dog';
```

위의 질의어가 맞는지를 조사한다.

Terminal

```
1  〉 SELECT * FROM pet
2  〉 WHERE species = 'cat' AND species = 'dog';
```

```
mysql> SELECT * FROM pet
    -> WHERE species = 'cat' AND species = 'dog';
Empty set (0.00 sec)

mysql>
```

고양이면서 개인 애완동물이 있을 수 없으므로 위의 질의어로는 검색되는 결과가 없는 것이 당연하다.

Terminal	
1	〉 SELECT * FROM pet
2	〉 WHERE species = 'cat' OR species = 'dog';

```
mysql> SELECT * FROM pet
    -> WHERE species = 'cat' OR species = 'dog';
+---------+----------+---------+-----+------------+------------+
| name    | owner    | species | sex | birth      | death      |
+---------+----------+---------+-----+------------+------------+
| Nero    | Dea-Seung| dog     | f   | 2005-12-30 | 2009-03-09 |
| JangGun | Min-Yong | dog     | m   | 2007-01-23 | NULL       |
| Ruru    | Min-Yong | cat     | m   | 2008-05-05 | NULL       |
| Bobo    | So-Jung  | dog     | m   | 2008-04-15 | NULL       |
| Spark   | Tae-Hee  | cat     | f   | 2006-01-01 | 2009-08-27 |
| Kiki    | So-Jung  | cat     | f   | 2007-09-19 | NULL       |
+---------+----------+---------+-----+------------+------------+
6 rows in set (0.00 sec)

mysql>
```

AND와 OR 연산자를 조합해서, 그룹 형태로 조건들을 괄호로 묶어 사용할 수 있다. 예를 들어 애완동물 중에서, 종류가 개이면서 수컷이고 주인이 'Tae-Hee'이고 암컷인 애완동물을 검색 하여 보자.

Terminal	
1	〉 SELECT * FROM pet
2	〉 WHERE (species = 'dog' AND sex = 'm')
3	〉 OR (owner = 'Tae-Hee' AND sex = 'f');

```
mysql> SELECT * FROM pet
    -> WHERE (species = 'dog' AND sex = 'm')
    -> OR (owner = 'Tae-Hee' AND sex = 'f');
+---------+----------+---------+-----+------------+------------+
| name    | owner    | species | sex | birth      | death      |
+---------+----------+---------+-----+------------+------------+
| Banny   | Tae-Hee  | rabbit  | f   | 2007-02-11 | NULL       |
| JangGun | Min-Yong | dog     | m   | 2007-01-23 | NULL       |
| Bobo    | So-Jung  | dog     | m   | 2008-04-15 | NULL       |
| Spark   | Tae-Hee  | cat     | f   | 2006-01-01 | 2009-08-27 |
+---------+----------+---------+-----+------------+------------+
4 rows in set (0.00 sec)

mysql>
```

질의어를 정확하게 표현하는 것은 사용하는 사용자가 아니라, 다른 사용자를 위해서이다. 어떤 데이터를 불러 오는가에 대해 주의 깊게 표현해야 한다. 그러나 같은 논리 연산자를 이용해서 질의어를 기술하여 나타낼 필요는 없다. 예를 들어, 질의어 표현에 대한 적절한 설명은 "주인이 'Min-Yong'이거나 주인이 'Tae-Hee'인 애완동물을 검색하라" 이다.

특정한 열을 검색해 보도록 하자. 애완동물센터 테이블인 pet에서, 애완동물 전체 자료를 보기보다는 원하는 특정한 자료를 검색하고 싶으면, 열 이름만 입력한다. 예를 들어서, 애완동물 중에서 이름과 생일만 알고 싶으면 이름과 생일을 검색한다.

① pet 테이블에서 name, birth 컬럼의 레코드를 출력한다.

Terminal	
1	〉SELECT name, birth FROM pet;

```
mysql> SELECT name, birth FROM pet;
+----------+------------+
| name     | birth      |
+----------+------------+
| Puffball | 2006-08-22 |
| Banny    | 2007-02-11 |
| Nero     | 2005-12-30 |
| JangGun  | 2007-01-23 |
| Pony     | 2009-05-30 |
| Ruru     | 2008-05-05 |
| Hade     | 2005-03-08 |
| Bobo     | 2008-04-15 |
| Spark    | 2006-01-01 |
| Kiki     | 2007-09-19 |
+----------+------------+
10 rows in set (0.00 sec)

mysql>
```

② 애완동물 중에서 name, owner, species, sex 만 출력한다.

Terminal

```
1    > SELECT name, owner, species, sex FROM pet;
```

```
mysql> SELECT name, owner, species, sex FROM pet;
+----------+----------+---------+-----+
| name     | owner    | species | sex |
+----------+----------+---------+-----+
| Puffball | Min-Yong | hamster | m   |
| Banny    | Tae-Hee  | rabbit  | f   |
| Nero     | Dea-Seung| dog     | f   |
| JangGun  | Min-Yong | dog     | m   |
| Pony     | Dea-Seung| bird    | f   |
| Ruru     | Min-Yong | cat     | m   |
| Hade     | Dea-Seung| bird    | f   |
| Bobo     | So-Jung  | dog     | m   |
| Spark    | Tae-Hee  | cat     | f   |
| Kiki     | So-Jung  | cat     | f   |
+----------+----------+---------+-----+
10 rows in set (0.00 sec)

mysql>
```

애완동물센터에 새로운 애완동물이 들어왔을 경우 레코드에 추가하여야 한다.

③ 애완동물의 레코드는 Mini, So-Jung, rabbit, m, 2009-03-08 이다.

Terminal

```
1    > INSERT INTO pet
2    > VALUES ('Mini','So-Jung','rabbit','m','2009-03-08',NULL);
```

```
mysql> INSERT INTO pet
    -> VALUES ('Mini','So-Jung','rabbit','m','2009-03-08',NULL);
Query OK, 1 row affected (0.01 sec)

mysql>
```

정확하게 입력이 되었는지를 확인해 보자.

④ pet 테이블의 레코드를 모두 출력한다.

Terminal

```
1    > SELECT * FROM pet;
```

```
mysql> SELECT * FROM pet;
+----------+-----------+---------+-----+------------+------------+
| name     | owner     | species | sex | birth      | death      |
+----------+-----------+---------+-----+------------+------------+
| Puffball | Min-Yong  | hamster | m   | 2006-08-22 | NULL       |
| Banny    | Tae-Hee   | rabbit  | f   | 2007-02-11 | NULL       |
| Nero     | Dea-Seung | dog     | f   | 2005-12-30 | 2009-03-09 |
| JangGun  | Min-Yong  | dog     | m   | 2007-01-23 | NULL       |
| Pony     | Dea-Seung | bird    | f   | 2009-05-30 | NULL       |
| Ruru     | Min-Yong  | cat     | m   | 2008-05-05 | NULL       |
| Hade     | Dea-Seung | bird    | f   | 2005-03-08 | 2008-08-11 |
| Bobo     | So-Jung   | dog     | m   | 2008-04-15 | NULL       |
| Spark    | Tae-Hee   | cat     | f   | 2006-01-01 | 2009-08-27 |
| Kiki     | So-Jung   | cat     | f   | 2007-09-19 | NULL       |
| Mini     | So-Jung   | rabbit  | m   | 2009-03-08 | NULL       |
+----------+-----------+---------+-----+------------+------------+
11 rows in set (0.00 sec)

mysql>
```

⑤ 애완동물 중에서 이름과 종류만 알고 싶으면, 이름과 주소만 출력한다.

Terminal

```
1   〉SELECT name, species FROM pet;
```

```
mysql> SELECT name, species FROM pet;
+----------+---------+
| name     | species |
+----------+---------+
| Puffball | hamster |
| Banny    | rabbit  |
| Nero     | dog     |
| JangGun  | dog     |
| Pony     | bird    |
| Ruru     | cat     |
| Hade     | bird    |
| Bobo     | dog     |
| Spark    | cat     |
| Kiki     | cat     |
| Mini     | rabbit  |
+----------+---------+
11 rows in set (0.00 sec)

mysql>
```

⑥ 애완동물들의 종류만 알고 싶으면, 종류만 출력 한다.

Terminal

```
1   〉SELECT species FROM pet;
```

```
mysql> SELECT species FROM pet;
+---------+
| species |
+---------+
| hamster |
| rabbit  |
| dog     |
| dog     |
| bird    |
| cat     |
| bird    |
| dog     |
| cat     |
| cat     |
| rabbit  |
+---------+
11 rows in set (0.00 sec)

mysql>
```

⑦ 애완동물들의 이름과 성별만을 출력한다.

Terminal	
1	〉SELECT name, sex FROM pet;

```
mysql> SELECT name, sex FROM pet;
+----------+-----+
| name     | sex |
+----------+-----+
| Puffball | m   |
| Banny    | f   |
| Nero     | f   |
| JangGun  | m   |
| Pony     | f   |
| Ruru     | m   |
| Hade     | f   |
| Bobo     | m   |
| Spark    | f   |
| Kiki     | f   |
| Mini     | m   |
+----------+-----+
11 rows in set (0.00 sec)

mysql>
```

⑧ 애완동물들의 성별만을 출력한다.

Terminal

```
1    〉SELECT sex FROM pet;
```

```
mysql> SELECT sex FROM pet;
+-----+
| sex |
+-----+
| m   |
| f   |
| f   |
| m   |
| f   |
| m   |
| f   |
| m   |
| f   |
| f   |
| m   |
+-----+
11 rows in set (0.00 sec)

mysql>
```

⑨ WHERE 조건문을 이용하여 행과 열의 선택을 조합해 보자. 예를 들어 name, species, sex, birth만을 나타내면서 주인이 'Min-Yong' 이거나 'Tae-Hee'인 애완동물을 검색해 보자.

Terminal

```
1    > SELECT name, species, sex, birth FROM pet
2    > WHERE owner = 'Min-Yong' OR owner = 'Tae-Hee';
```

```
mysql> SELECT name, species, sex, birth FROM pet
    -> WHERE owner = 'Min-Yong' OR owner = 'Tae-Hee';
+----------+---------+-----+------------+
| name     | species | sex | birth      |
+----------+---------+-----+------------+
| Puffball | hamster | m   | 2006-08-22 |
| Banny    | rabbit  | f   | 2007-02-11 |
| JangGun  | dog     | m   | 2007-01-23 |
| Ruru     | cat     | m   | 2008-05-05 |
| Spark    | cat     | f   | 2006-01-01 |
+----------+---------+-----+------------+
5 rows in set (0.00 sec)

mysql>
```

조건절을 설정하여 MySQL 질의어를 실행하고, 검색된 결과 데이터는 컬럼을 설정하여 테이블의 데이터를 부분적으로 출력할 수 있다.

9.7 날짜 데이터값 처리

MySQL의 날짜는 큰따옴표를 사용하여 표현하며, 2009년 9월 10일은 "2000-09-10 "으로 표현한다. "10-09-2009" 또는 "09-10-2009"로 표현하지 않는 것에 주의하도록 한다.

MySQL은 날짜를 표현하기 위한 몇 가지의 방법을 지원한다. MySQL의 날짜는 아래의 방식으로 표현한다.

- 날짜를 정렬한다.
- 특별한 날짜와 날짜의 범위를 조사한다.
- 날짜 값에서 각각의 연도(year), 월(month), 일(day) 값으로 조사한다.
- 날짜 값들의 차이점을 조사한다.
- 다른 날짜에서 시간을 더하거나 빼서 새로운 날짜를 계산한다.

예제를 시작하기 이전에 MySQL 서버에 접속해서 hospital이라는 데이터베이스를 생성한 후, 리눅스 프롬프트 창에서 hospital.sql 이라는 파일을 호출한다.
본 예제는 암 병원 환자들의 테이블이다.

```
> CREATE DATABASE hospital;
# ./mysql -u root -p hospital < hospital.sql;
```

몇 개의 예제는 아래의 수행식이다. 특수한 날짜 값을 사용해 보고 다른 날짜 값과 DATE 컬럼을 사용하여 비교한다.

Terminal

```
1  〉SELECT * FROM hospital
2  〉WHERE birth = '1986-09-10'
```

```
mysql> SELECT * FROM hospital
    -> WHERE birth = '1986-09-10';
+--------+---------+------+---------+------------+-------+
| name   | address | sex  | disease | birth      | death |
+--------+---------+------+---------+------------+-------+
| 정민용 | 내방동  | 남   | 위암    | 1986-09-10 | NULL  |
+--------+---------+------+---------+------------+-------+
1 row in set (0.00 sec)

mysql>
```

Terminal

```
1  〉SELECT * FROM hospital
2  〉WHERE birth = '1986-09-10'
```

```
mysql> SELECT name, address, sex birth FROM hospital
    -> WHERE birth >= '1970-01-01' AND birth < '1985-01-01';
+--------+---------+-------+
| name   | address | birth |
+--------+---------+-------+
| 이충한 | 신림동  | 남    |
| 최용희 | 북성동  | 남    |
| 이강희 | 이문동  | 여    |
| 김동건 | 논현동  | 남    |
+--------+---------+-------+
4 rows in set (0.00 sec)

mysql>
```

YEAR(), MONTH(), DAYOFMONTH() 함수를 이용하여 날짜의 연도, 월, 일의 파트 값을 구한다.

예를 들어, 병원 환자 중에서 생일이 '11월' 인 고객을 검색한다.

Terminal

```
1  〉SELECT name, address, sex, birth FROM hospital
2  〉WHERE MONTH(birth) = 11;
```

```
mysql> SELECT name, address, sex, birth FROM hospital
    -> WHERE MONTH(birth) = 11;
+-------+--------+-----+------------+
| name  | address | sex | birth      |
+-------+--------+-----+------------+
| 최태복 | 중앙동  | 남  | 1948-11-21 |
+-------+--------+-----+------------+
1 row in set (0.00 sec)

mysql>
```

질의어의 WHERE 절에 MONTHNAME(birth) = 'March'를 사용하여 3월이 생일인 병원환자를 검색한다.

Terminal	
1	〉 SELECT name, address, sex, birth FROM hospital
2	〉 WHERE MONTHNAME(birth) = 'March';

```
mysql> SELECT name, address, sex, birth FROM hospital
    -> WHERE MONTHNAME(birth) = 'March';
+-------+--------+-----+------------+
| name  | address | sex | birth      |
+-------+--------+-----+------------+
| 김동건 | 논현동  | 남  | 1972-03-07 |
+-------+--------+-----+------------+
1 row in set (0.00 sec)

mysql>
```

생일 날짜에서 '일'까지 정확하게 검색해 본다. MONTH()와 DAYOFMONTH() 함수를 이용하여 '4월 30일'이 생일인 병원환자를 검색한다.

Terminal	
1	〉 SELECT name, address, sex, birth FROM hospital
2	〉 WHERE MONTH(birth) = 4 AND DAYOFMONTH(birth) = 30;

```
mysql> SELECT name, address, sex, birth FROM hospital
    -> WHERE MONTH(birth) = 4 AND DAYOFMONTH(birth) = 30;
+-------+--------+-----+------------+
| name  | address | sex | birth      |
+-------+--------+-----+------------+
| 이강희 | 이문동  | 여   | 1981-04-30 |
+-------+--------+-----+------------+
1 row in set (0.00 sec)

mysql>
```

MONTHNAME() 함수와 DAYOFMONTH()를 사용하여 '3월 7일'이 생일인 병원환자를 검색한다.

Terminal

```
1  〉 SELECT name, address, sex, birth FROM hospital
2  〉 WHERE MONTHNAME(birth) = 'March'
3  〉 AND DAYOFMONTH(birth) = 7;
```

```
mysql> SELECT name, address, sex, birth FROM hospital
    -> WHERE MONTHNAME(birth) = 'March' AND DAYOFMONTH(birth) = 7;
+-------+--------+-----+------------+
| name  | address | sex | birth      |
+-------+--------+-----+------------+
| 김동건 | 논현동  | 남   | 1972-03-07 |
+-------+--------+-----+------------+
1 row in set (0.00 sec)

mysql>
```

친목 모임의 웹사이트를 방문하면 '오늘의 생일' 코너에서 방문한 날이 생일인 회원을 나열한다. 위의 질의어로는 정확한 데이터를 찾을 수 없다. 병원환자의 생일에서 '월'과 '일'을 조사하고, '연도'는 조사할 필요가 없다. "CURRENT_DATE;"처럼 현재 날짜 값과 생일 값을 비교한다.

```
SELECT name, address, sex, birth FROM hospital
WHERE MONTH(birth) = MONTH(CURRENT_DATE)
AND DAYOFMONTH(birth) = DAYOFMONTH(CURRENT_DATE);
```

먼저, 현재 날짜를 조사한다. CURRENT_DATE는 현재 날짜를 나타낸다.

Terminal

```
1    〉 SELECT CURRENT_DATE;
```

```
mysql> SELECT CURRENT_DATE;
+--------------+
| CURRENT_DATE |
+--------------+
| 2009-11-19   |
+--------------+
1 row in set (0.00 sec)

mysql>
```

현재 날짜는 2009년 11월 19일이다. 병원환자 중에서 연향동에 사는 이윤하라는 환자가 새로 병원에 입원 했다. 이윤하 환자의 병명은 소아암이고, 생년월일이 1994년 11월 19일 이라고 가정하고 데이터를 hospital 테이블에 삽입 한다.

Terminal

```
1    〉 INSERT INTO hospital (name, address, sex, disease, birth, death)
2    〉 VALUES ('이윤하','연향동','여','소아암','1994-11-19',NULL);
```

```
mysql> INSERT INTO hospital (name, address, sex, disease, birth, death)
    -> VALUES ('이윤하','연향동','여','소아암','1994-11-19',NULL);
Query OK, 1 row affected (0.00 sec)

mysql>
```

이윤하 환자의 레코드가 입력되어 있는지를 조사한다.

Terminal

```
1    〉 SELECT * FROM hospital;
```

```
mysql> SELECT * FROM hospital;
+-------+--------+-----+----------+------------+------------+
| name  | address | sex | disease  | birth      | death      |
+-------+--------+-----+----------+------------+------------+
| 정민용 | 내방동  | 남  | 위암      | 1986-09-10 | NULL       |
| 이충한 | 신림동  | 남  | 간암      | 1974-02-05 | 2009-05-22 |
| 강길호 | 청담동  | 남  | 췌장암    | 1967-06-01 | NULL       |
| 김숙자 | 남정동  | 여  | 유방암    | 1962-08-03 | 2008-03-06 |
| 최용희 | 북성동  | 남  | 간암      | 1977-12-12 | 2009-02-15 |
| 이강희 | 이문동  | 여  | 자궁내막암 | 1981-04-30 | NULL       |
| 김동건 | 논현동  | 남  | 위암      | 1972-03-07 | NULL       |
| 임형택 | 덕산동  | 남  | 피부암    | 1955-07-02 | 2006-03-29 |
| 최태복 | 중앙동  | 남  | 대장암    | 1948-11-21 | NULL       |
| 선종철 | 황천동  | 남  | 폐암      | 1951-12-30 | 2009-07-12 |
| 이윤하 | 연향동  | 여  | 소아암    | 1994-11-19 | NULL       |
+-------+--------+-----+----------+------------+------------+
11 rows in set (0.00 sec)

mysql>
```

이제 CURRENT_DATE 는 11월 19일이고, 오늘이 생일인 환자를 검색해 보자.

Terminal

```
1  > SELECT name, address, sex, birth FROM hospital
2  > WHERE MONTH(birth) = MONTH(CURRENT_DATE)
3  > AND DAYOFMONTH(birth) = DAYOFMONTH(_DATE);
```

```
mysql> SELECT name, address, sex, birth FROM hospital
    -> WHERE MONTH(birth) = MONTH(CURRENT_DATE)
    -> AND DAYOFMONTH(birth) = DAYOFMONTH(CURRENT_DATE);
+-------+--------+-----+------------+
| name  | address | sex | birth      |
+-------+--------+-----+------------+
| 이윤하 | 연향동  | 여  | 1994-11-19 |
+-------+--------+-----+------------+
1 row in set (0.00 sec)

mysql>
```

9.8 DELETE 삭제 명령어

테이블의 레코드를 삭제하거나 업데이트 하는 경우에는 DELETE 와 UPDATE 명령을 아래와 같이 사용한다.

```
DELETE FROM 테이블명 WHERE 삭제할 레코드 조건
```

WHERE절은 삭제 레코드를 지정하거나 또는 지정을 하지 않아도 된다.

```
DELETE FROM 테이블명
```

DELETE FROM 테이블명 명령은 테이블의 데이터를 전부 삭제한다.

① pet 테이블의 데이터를 모두 삭제한다.

Terminal

```
1    〉 DELETE FROM pet;
```

```
mysql> DELETE FROM pet;
Query OK, 10 rows affected (0.00 sec)

mysql>
```

② pet 데이터베이스의 모든 테이블을 출력한다.

Terminal

```
1    〉 SHOW TABLES;
```

```
mysql> SHOW TABLES;
+--------------+
| Tables_in_pet |
+--------------+
| pet          |
+--------------+
1 row in set (0.00 sec)

mysql>
```

③ mysql 명령어 라인에서 exit를 입력하고 명령어 행에서 벗어난다.

Terminal

```
1    〉 SELECT * FROM pet;
```

```
mysql> SELECT * FROM pet;
Empty set (0.00 sec)

mysql>
```

④ mysql 명령어 행에서 exit를 입력하고 명령어 행에서 벗어난다.

Terminal	
1	〉 exit

```
mysql> exit
Bye
[root@localhost bin]#
```

다른 데이터 값을 구하기 위해 위의 테이블에서 '이윤하' 환자의 데이터를 삭제한다.

Terminal	
1	〉 DELETE FROM hopital
2	〉 WHERE name = '이윤하';

```
mysql> DELETE FROM hospital
    -> WHERE name = '이윤하';
Query OK, 1 row affected (0.00 sec)

mysql>
```

9.9 DELETE 명령문의 WHERE 조건절

WHERE절에서 테이블의 레코드를 지정하여 데이터 값을 삭제한다. DELETE 명령은 SELECT 명령을 사용하는 방법과 유사하다. 예를 들어, pet 테이블에서 'dog' 레코드만을 삭제해보자.

Terminal	
1	〉 SHOW TABLES;

```
mysql> SELECT * FROM pet;
+----------+-----------+---------+-----+------------+------------+
| name     | owner     | species | sex | birth      | death      |
+----------+-----------+---------+-----+------------+------------+
| Puffball | Min-Yong  | hamster | m   | 2006-06-18 | NULL       |
| Banny    | Tae-Hee   | rabbit  | f   | 2007-02-11 | NULL       |
| Nero     | Dea-Seung | dog     | f   | 2005-12-30 | 2009-03-09 |
| JangGun  | Min-Yong  | dog     | m   | 2007-01-23 | NULL       |
| Pony     | Dea-Seung | bird    | m   | 2009-05-30 | NULL       |
| Ruru     | Min-Yong  | cat     | m   | 2008-05-05 | NULL       |
| Hade     | Dea-Seung | bird    | f   | 2005-03-08 | 2008-08-11 |
| Bobo     | So-Jung   | dog     | m   | 2008-04-15 | NULL       |
| Spark    | Tae-Hee   | cat     | f   | 2006-01-01 | 2009-08-27 |
| Kiki     | So-Jung   | cat     | f   | 2007-09-19 | NULL       |
+----------+-----------+---------+-----+------------+------------+
10 rows in set (0.00 sec)

mysql>
```

Terminal	
1	〉 DELETE FROM pet
2	〉 WHERE species = 'dog';

```
mysql> DELETE FROM pet
    -> WHERE species = 'dog';
Query OK, 3 rows affected (0.00 sec)

mysql>
```

실제로 pet 테이블에서 'dog' 레코드가 삭제 되었는지 확인 하여 보자.

Terminal	
1	〉 SELECT * FROM pet;

DELETE 명령의 WHERE 조건은 테이블에서 레코드를 삭제한다. DELETE 명령을 실행시키기 전에 SELECT 명령을 실행시켜서 실질적으로 삭제하는 레코드를 검색한다. pet 테이블에 있는 'dog' 레코드를 삭제한다고 하자. 질의어를 어떤 형식으로 사용해야 하는가?

```
mysql> SELECT * FROM pet;
+----------+-----------+---------+-----+------------+------------+
| name     | owner     | species | sex | birth      | death      |
+----------+-----------+---------+-----+------------+------------+
| Puffball | Min-Yong  | hamster | m   | 2006-06-18 | NULL       |
| Banny    | Tae-Hee   | rabbit  | f   | 2007-02-11 | NULL       |
| Pony     | Dea-Seung | bird    | m   | 2009-05-30 | NULL       |
| Ruru     | Min-Yong  | cat     | m   | 2008-05-05 | NULL       |
| Hade     | Dea-Seung | bird    | f   | 2005-03-08 | 2008-08-11 |
| Spark    | Tae-Hee   | cat     | f   | 2006-01-01 | 2009-08-27 |
| Kiki     | So-Jung   | cat     | f   | 2007-09-19 | NULL       |
+----------+-----------+---------+-----+------------+------------+
7 rows in set (0.00 sec)

mysql>
```

```
〉 DELETE FROM pet WHERE species = 'dog';
```

SELECT 명령문에서 WHERE 절을 사용하여 삭제 레코드 또는 데이터 값을 먼저 검색해 보고 난 뒤에 DELETE 명령어를 실행시킨다. 왜냐하면, DELETE 명령어 실행으로 데이터를 삭제한 뒤에는 복구하려면 무척이나 번거로운 작업이 되기 때문이다. 안전한 방식으로 SELECT 삭제 레코드를 검색한 뒤에 DELETE 명령을 실행시켜서 데이터를 삭제하기를 권한다.

삭제하려고 하는 레코드의 데이터값을 검색한다. 아래의 질의어를 먼저 실행 하자.

Terminal

```
1  〉 SELECT name, owner, species, sex, birth, death FROM pet
2  〉 WHERE species = 'dog';
```

```
mysql> SELECT name, owner, species, sex, birth, death FROM pet
    -> WHERE species = 'dog';
+---------+-----------+---------+-----+------------+------------+
| name    | owner     | species | sex | birth      | death      |
+---------+-----------+---------+-----+------------+------------+
| Nero    | Dea-Seung | dog     | f   | 2005-12-30 | 2009-03-09 |
| JangGun | Min-Yong  | dog     | m   | 2007-01-23 | NULL       |
| Bobo    | So-Jung   | dog     | m   | 2008-04-15 | NULL       |
+---------+-----------+---------+-----+------------+------------+
3 rows in set (0.00 sec)
```

질의어의 결과 데이터를 보면 사당동에 사는 고객이 2명이다. 그래서 WHERE절에서 보다 상세한 조건으로 검색하여야 한다.

Terminal

```
1  > SELECT name, owner, species, sex, birth, death FROM pet
2  > WHERE species = 'dog' AND name = 'Nero';
```

```
mysql> SELECT name, owner, species, sex, birth, death FROM pet
    -> WHERE species = 'dog' AND name = 'Nero';
+------+-----------+---------+-----+------------+------------+
| name | owner     | species | sex | birth      | death      |
+------+-----------+---------+-----+------------+------------+
| Nero | Dea-Seung | dog     | f   | 2005-12-30 | 2009-03-09 |
+------+-----------+---------+-----+------------+------------+
1 row in set (0.00 sec)

mysql>
```

이제, WHERE절에서 삭제하는 레코드를 알 수가 있다. DELETE 명령을 다음과 같이 사용한다.

Terminal

```
1  > DELETE FROM pet
2  > WHERE species = 'dog' AND name = 'Nero';
```

```
mysql> DELETE FROM pet
    -> WHERE species = 'dog' AND name = 'Nero';
Query OK, 1 row affected (0.00 sec)

mysql>
```

연습문제 EXERCISES

아래와 같은 데이터베이스가 있다고 할 때, 지시되는 데로 데이터를 입력, 수정하시오.

테이블 생성

```
1   CREATE TABLE pet(
2   name VARCHAR(20),
3   owner VARCHAR(20),
4   species VARCHAR(20),
5   sex CHAR(1),
6   birth DATE,
7   death DATE);
8
9
10  CREATE TABLE  bookstore(
11  number VARCHAR(20),
12  name VARCHAR(20),
13  company VARCHAR(20),
14  price int(20));
15
16
17
18  CREATE TABLE video(
19  code char(5),
20  title VARCHAR(20),
21  price int(20),
22  category CHAR(10),
23  date DATE,
24  company VARCHAR(20));,
25
26
```

9.1 pet 테이블에서 2007년도 태어난 고양이를 검색하는 질의어 작성하시오.

9.2 video 테이블에서 2009년도에 만들어진 드라마 장르를 검색하는 질의어 작성하시오.

9.3 pet 테이블에서 한 주인이 키우는 애완동물

9.4 pet 테이블에서 종류가 dog인 동물을 검색하여 주인명과 성별을 출력하는 질의어 작성하시오.

9.5 video 테이블에서 장르가 "코미디" 이거나 "드라마"인 비디오를 검색하여 모든 컬럼을 출력하는 질의어 작성하시오.

10장. 데이터의 패턴 검색 작업

10.1 날짜 관련 함수

병원환자에게 생일날 메시지를 전달하고자 한다면, 다음 달부터는 어떤 보험고객이 생일인지를 알아야 한다. MySQL 서버에서는 날짜 day(), 연도 year(), 달 month()을 계산해 주는 함수를 제공한다.

Terminal

```
1  > SELECT name, birth, sex, month(birth)
2  > FROM hospital;
```

```
mysql> SELECT name, birth, sex, month(birth)
    -> FROM hospital;
+--------+------------+-----+--------------+
| name   | birth      | sex | month(birth) |
+--------+------------+-----+--------------+
| 정민용 | 1986-09-10 | 남  |            9 |
| 이충한 | 1974-02-05 | 남  |            2 |
| 강길호 | 1967-06-01 | 남  |            6 |
| 김숙자 | 1962-08-03 | 여  |            8 |
| 최용희 | 1977-12-12 | 남  |           12 |
| 이강희 | 1981-04-30 | 여  |            4 |
| 김동건 | 1972-03-07 | 남  |            3 |
| 임형택 | 1955-07-02 | 남  |            7 |
| 최태복 | 1948-11-21 | 남  |           11 |
| 선종철 | 1951-12-30 | 남  |           12 |
+--------+------------+-----+--------------+
10 rows in set (0.00 sec)

mysql>
```

3월에 생일이 있는 환자는 김동건씨 이고, 11월 생일은 최태복씨이다. month는 생일인 달에 해당하는 수를 의미하며, month()는 1월부터 12월까지이다. 다음 달을 표현하고자 하면, "month(birth)+1" 처럼 표현한다.

2월이 생일인 고객을 검색해 보자.

Terminal

```
1  〉 SELECT name, birth, sex FROM  hospital
2  〉 WHERE month(birth) = 2;
```

```
mysql> SELECT name, birth, sex FROM hospital
    -> WHERE month(birth) = 2;
+--------+------------+------+
| name   | birth      | sex  |
+--------+------------+------+
| 이충한 | 1974-02-05 | 남   |
+--------+------------+------+
1 row in set (0.00 sec)

mysql>
```

다른 데이터 값을 구하기 위해서 위의 테이블에 선종철 씨의 데이터를 삭제한다.

Terminal

```
1  〉 DELETE FROM hospital
2  〉 WHERE name = '선종철';
```

```
mysql> DELETE FROM hospital
    -> WHERE name = '선종철';
Query OK, 1 row affected (0.00 sec)

mysql>
```

다른 날짜에서 또 다른 날짜를 뺀다. 이러한 시간의 차이를 인터벌(Interval)이라고 부른다. 날짜에서 시간의 차이(Interval)을 구하고, 시간의 차이는 나이(age)를 계산하기 위해서 사용한다. 예를 들어 병원 고객 중에서 사망한 사람이 있다하자. TO_DAYS()함수를 이용하여 birth 와 death 날짜를 구한 후에, 죽은 날짜에서 생일날, 즉 태어난 날짜를 뺀다. 뺀 값을 365로 나누어서 나이(age)를 계산한다.

① 병원 고객 중에서 사망한 사람들의 나이를 계산 한다.

```
Terminal
1  〉 SELECT name, sex, disease, birth, death,
2  〉 FLOOR((TO_DAYS(death) - TO_DAYS(birth))/365) AS 나이
3  〉 FROM hospital WHERE death IS NOT NULL
4  〉 ORDER BY 나이 DESC;
```

```
mysql> SELECT name, sex, disease, birth, death,
    -> FLOOR((TO_DAYS(death) - TO_DAYS(birth))/365) AS 나이
    -> FROM hospital WHERE death IS NOT NULL
    -> ORDER BY 나이 DESC;
+--------+------+---------+------------+------------+------+
| name   | sex  | disease | birth      | death      | 나이 |
+--------+------+---------+------------+------------+------+
| 임형택 | 남   | 피부암  | 1955-07-02 | 2006-03-29 |   50 |
| 김숙자 | 여   | 유방암  | 1962-08-03 | 2008-03-06 |   45 |
| 이충한 | 남   | 간암    | 1974-02-05 | 2009-05-22 |   35 |
| 최용희 | 남   | 간암    | 1977-12-12 | 2009-02-15 |   31 |
+--------+------+---------+------------+------------+------+
4 rows in set (0.00 sec)

mysql>
```

② hospital 테이블 레코드에서 birth 컬럼명을 '생일'로 별칭을 하고, death 컬럼명을 '사망일'로 별칭해서 출력하자.

```
Terminal
1  〉 SELECT name AS '성명', sex AS '성별', disease AS'병명',
2  〉 birth AS '생일', death AS '사망일',
3  〉 FLOOR((TO_DAYS(death) - TO_DAYS(birth))/365) AS 나이
4  〉 FROM hospital WHERE death IS NOT NULL
5  〉 ORDER BY 나이 DESC;
```

```
mysql> SELECT name AS '성명', sex AS '성별', disease AS '병명',
    -> birth AS '생일', death AS '사망일',
    -> FLOOR((TO_DAYS(death) - TO_DAYS(birth))/365) AS 나이
    -> FROM hospital WHERE death IS NOT NULL
    -> ORDER BY 나이 DESC;
+--------+------+--------+------------+------------+------+
| 성명   | 성별 | 병명   | 생일       | 사망일     | 나이 |
+--------+------+--------+------------+------------+------+
| 임형택 | 남   | 피부암 | 1955-07-02 | 2006-03-29 |   50 |
| 김숙자 | 여   | 유방암 | 1962-08-03 | 2008-03-06 |   45 |
| 이충한 | 남   | 간암   | 1974-02-05 | 2009-05-22 |   35 |
| 최용희 | 남   | 간암   | 1977-12-12 | 2009-02-15 |   31 |
+--------+------+--------+------------+------------+------+
4 rows in set (0.00 sec)

mysql>
```

질의어에서 사용하는 FLOOR() 함수는 나이를 계산할 때 사용한다. 유리수 부분을 잘라내고 정수로 만들면 나이를 산출할 수 있다. 사망한 날의 날짜와 생일날의 시간 차이는 나이를 계산하기에는 유용하다. 그리고 사망한 날의 날짜와 현재 날짜의 시간 차이를 계산한다.

MySQL은 날짜를 계산하는 몇 개의 함수가 있다. 병원에 입원한 환자들의 나이가 얼마인지를 계산해보자. 생일 날짜와 현재 날짜를 입력하여 현재 날짜에서 생일 날짜를 뺀 값을 365로 나누어주면 나이 값을 구할 수가 있다.

Terminal

```
1  〉 SELECT name, FLOOR((TO_DAYS(NOW()) - TO_DAYS(birth))/365)
2  〉 FROM hospital;
```

```
mysql> SELECT name, FLOOR((TO_DAYS(NOW()) - TO_DAYS(birth))/365)
    -> FROM hospital;
+-------+-------------------------------------------+
| name  | FLOOR((TO_DAYS(NOW()) - TO_DAYS(birth))/365) |
+-------+-------------------------------------------+
| 정민용 |                                        23 |
| 이충한 |                                        35 |
| 강길호 |                                        42 |
| 김숙자 |                                        47 |
| 최용희 |                                        31 |
| 이강희 |                                        28 |
| 김동건 |                                        37 |
| 임형택 |                                        54 |
| 최태복 |                                        61 |
+-------+-------------------------------------------+
9 rows in set (0.01 sec)

mysql>
```

((TO_DAYS(NOW()) - TO_DAYS(birth))/365)의 값을 FLOOR() 함수에 의해서 유리수 부분, 즉 소수부분은 잘래내고 정수만 나타낸다. 계산한 컬럼 값을 '나이'로 나타내고, name을 '성명', sex를 '성별', disease를 '병명' birth AS '생일'로 나타낸다. 가나다 한글이름순으로 정렬하자.

Terminal

```
1  > SELECT name AS '성명', sex AS '성별', disease AS'병명',
2  > birth AS '생일',
3  > FLOOR((TO_DAYS(NOW()) - TO_DAYS(birth))/365) AS 나이
4  > FROM hospital WHERE death IS NULL
5  > ORDER BY name;
```

```
mysql> SELECT name AS '성명', sex AS '성별', disease AS '병명',
    -> birth AS '생일',
    -> FLOOR((TO_DAYS(NOW()) - TO_DAYS(birth))/365) AS 나이
    -> FROM hospital WHERE death IS NULL
    -> ORDER BY name;
+--------+------+------------+------------+------+
| 성명   | 성별 | 병명       | 생일       | 나이 |
+--------+------+------------+------------+------+
| 강길호 | 남   | 췌장암     | 1967-06-01 |   42 |
| 김동건 | 남   | 위암       | 1972-03-07 |   37 |
| 이강희 | 여   | 자궁내막암 | 1981-04-30 |   28 |
| 정민용 | 남   | 위암       | 1986-09-10 |   23 |
| 최태복 | 남   | 대장암     | 1948-11-21 |   61 |
+--------+------+------------+------------+------+
5 rows in set (0.00 sec)

mysql>
```

((TO_DAYS(NOW()) - TO_DAYS(birth))/365)의 값을 FLOOR() 함수에 의해서 유리수 부분, 즉 소수부분은 잘래내고 정수만 나타낸다. 계산한 컬럼 값을 '나이'로 나타내고, name을 '성명', sex를 '성별', disease를 '병명' birth AS '생일'로 나타내자. 위의 데이터를 나이 순서로 정렬해보자.

Terminal

```
1  > SELECT name AS '성명', sex AS '성별', disease AS'병명',
2  > birth AS '생일',
3  > FLOOR((TO_DAYS(NOW()) - TO_DAYS(birth))/365) AS 나이
4  > FROM hospital WHERE death IS NULL
5  > ORDER BY 나이 DESC;
```

```
mysql> SELECT name AS '성명', sex AS '성별', disease AS '병명',
    -> birth AS '생일',
    -> FLOOR((TO_DAYS(NOW()) - TO_DAYS(birth))/365) AS 나이
    -> FROM hospital WHERE death IS NULL
    -> ORDER BY 나이 DESC;
+--------+------+------------+------------+------+
| 성명   | 성별 | 병명       | 생일       | 나이 |
+--------+------+------------+------------+------+
| 최태복 | 남   | 대장암     | 1948-11-21 |   61 |
| 강길호 | 남   | 췌장암     | 1967-06-01 |   42 |
| 김동건 | 남   | 위암       | 1972-03-07 |   37 |
| 이강희 | 여   | 자궁내막암 | 1981-04-30 |   28 |
| 정민용 | 남   | 위암       | 1986-09-10 |   23 |
+--------+------+------------+------------+------+
5 rows in set (0.00 sec)

mysql>
```

MySQL 3.22 이후 버전부터는 DATE_ADD() 함수를 이용하여 다른 날짜 값끼리 더해 계산하고, DATE_SUB() 함수를 이용하여 다른 날짜 값끼리 빼서 계산한다. 이러한 함수들은 날짜 값에 시간의 차이(Interval) 값을 더하거나 빼서 새로운 날짜 값을 구한다. 예를 들어, 2009년 9월 10일에 1년이 지난 뒤 날짜 값을 계산해보자.

```
Terminal
1    〉SELECT DATE_ADD('2009-09-10', INTERVAL 1 YEAR);
```

```
mysql> SELECT DATE_ADD('2009-09-10', INTERVAL 1 YEAR);
+-----------------------------------------+
| DATE_ADD('2009-09-10', INTERVAL 1 YEAR) |
+-----------------------------------------+
| 2010-09-10                              |
+-----------------------------------------+
1 row in set (0.00 sec)

mysql>
```

2009년 9월 10일에 15년이 지난 뒤 날짜 값을 계산해보자.

```
Terminal
1    〉SELECT DATE_ADD('2009-09-10', INTERVAL 15 YEAR);
```

```
mysql> SELECT DATE_ADD('2009-09-10', INTERVAL 15 YEAR);
+-----------------------------------------+
| DATE_ADD('2009-09-10', INTERVAL 15 YEAR) |
+-----------------------------------------+
| 2024-09-10                              |
+-----------------------------------------+
1 row in set (0.00 sec)

mysql>
```

2009년 9월 10일에 50년이 지난 뒤 날짜 값을 계산해보자.

Terminal

```
1    > SELECT DATE_ADD('2009-09-10', INTERVAL 15 YEAR);
```

```
mysql> SELECT DATE_ADD('2009-09-10', INTERVAL 50 YEAR);
+-----------------------------------------+
| DATE_ADD('2009-09-10', INTERVAL 50 YEAR) |
+-----------------------------------------+
| 2059-09-10                              |
+-----------------------------------------+
1 row in set (0.00 sec)

mysql>
```

2009년 9월 10일에 3년 전의 날짜 값을 계산해보자.

Terminal

```
1    > SELECT DATE_SUB('2009-09-10', INTERVAL 3 YEAR);
```

```
mysql> SELECT DATE_SUB('2009-09-10', INTERVAL 3 YEAR);
+----------------------------------------+
| DATE_SUB('2009-09-10', INTERVAL 3 YEAR) |
+----------------------------------------+
| 2006-09-10                             |
+----------------------------------------+
1 row in set (0.00 sec)

mysql>
```

2009년 9월 10일에 25년 전의 날짜 값을 계산해보자.

Terminal

```
1  > SELECT DATE_SUB('2009-09-10', INTERVAL 25 YEAR);
```

```
mysql> SELECT DATE_SUB('2009-09-10', INTERVAL 25 YEAR);
+--------------------------------------+
| DATE_SUB('2009-09-10', INTERVAL 25 YEAR) |
+--------------------------------------+
| 1984-09-10                           |
+--------------------------------------+
1 row in set (0.00 sec)

mysql>
```

DATA_ADD() 함수를 이용해서 2008년 1월 1일부터 2009년 1월 1일까지의 사망한 환자를 검색하자. 아래 질의어를 살펩ㅎ면, DATE_ADD() 함수의 첫 번째 인수는 시작 날짜 값이고, 두 번째 인수는 시간의 차고, 세 번째 인수는 YEAR, MONTH, DAY 중에서 지정하여 사용한다.

Terminal

```
1  > SELECT name, sex, death FROM hospital
2  > WHERE death >= '2008-01-01;
3  > AND death < DATE_ADD('2008-01-01', INTERVAL 1 YEAR);
```

```
mysql> SELECT name, sex, death FROM hospital
    -> WHERE death >= '2008-01-01'
    -> AND death < DATE_ADD('2008-01-01', INTERVAL 1 YEAR);
+-------+-----+------------+
| name  | sex | death      |
+-------+-----+------------+
| 김숙자 | 여  | 2008-03-06 |
+-------+-----+------------+
1 row in set (0.00 sec)

mysql>
```

현재의 날짜를 기준으로 하여 2년 내에 사망한 병원 환자를 검색한다.

Terminal
```
1  〉SELECT name, sex, death FROM hospital
2  〉WHERE death 〈 CURRENT_DATE
3  〉AND death 〉DATE_SUB(CURRENT_DATE, INTERVAL 2 YEAR);
```

```
mysql> SELECT name, sex, death FROM hospital
    -> WHERE death < CURRENT_DATE
    -> AND death > DATE_SUB(CURRENT_DATE, INTERVAL 2 YEAR);
+-------+-----+------------+
| name  | sex | death      |
+-------+-----+------------+
| 이충한 | 남  | 2009-05-22 |
| 김숙자 | 여  | 2008-03-06 |
| 최용희 | 남  | 2009-02-15 |
+-------+-----+------------+
3 rows in set (0.00 sec)

mysql>
```

병원에 입원한 환자 중에서 12월이 생일인 경우에는 13월로 표현하지 않고 13월은 내년 1월을 의미한다. 현재 날짜에서 4개월까지는 어느 환자가 생일인지를 검색한다. 생일인 환자가 있는 경우에 생일 축하 메시지를 전달하면 환자에게 좋은 인상으로 남겨질 것이다. "death IS NULL"은 환자 중에서 사망한 사람을 제외한다는 것이다.

Terminal
```
1  > SELECT name, sex, death FROM hospital
2  > WHERE death IS NULL
3  > AND MONTH(birth) <= MONTH(DATE_ADD(NOW(),
4  > INTERVAL 4 MONTH));
```

```
mysql> SELECT name, sex, birth FROM hospital
    -> WHERE death IS NULL
    -> AND MONTH(birth) <= MONTH(DATE_ADD(NOW(), INTERVAL 4 MONTH));
+--------+------+------------+
| name   | sex  | birth      |
+--------+------+------------+
| 김동건 | 남   | 1972-03-07 |
+--------+------+------------+
1 row in set (0.01 sec)

mysql>
```

MONTH(DATE_ADD(NOW() ,INTERVAL 4 MONTH))에서 NOW()는 현재 날짜와 시간을 나타내고, 날짜 값에 4개월을 더한다. 현재 날짜는 '11월 19일'이고 '4개월을 더하면 '12월', '1'월', '2월', '3월'이 된다. 따라서 생년월일의 월(month)에서 '3월'보다 작은 생일인 환자를 검색한다.

```
Terminal
1  > SELECT name, sex, death FROM hospital
2  > WHERE death IS NULL
3  > AND MONTH(birth) = MOD(MONTH(NOW()) + 10, 12);
```

```
mysql> SELECT name, sex, birth FROM hospital
    -> WHERE death IS NULL
    -> AND MONTH(birth) = MOD(MONTH(NOW()) + 10, 12);
+--------+------+------------+
| name   | sex  | birth      |
+--------+------+------------+
| 정민용 | 남   | 1986-09-10 |
+--------+------+------------+
1 row in set (0.00 sec)

mysql>
```

MOD(MONTH(NOW()) + 10, 12)에서 MOD() 함수는 데이터 값을 수로 나눈 나머지 값을 구한다. 첫 번째 수를 두 번째 수로 나눈 나머지를 나타낸다.
MONTH(NOW()) + 10 은 NOW() 값을 구하고, MONTH(NOW()) 현재 날짜의 월(month)을 구하고 '10'을 더한다. MOD() 함수는 두 번째 값으로 첫 번째 값을 나눈다.

예를 들어, 현재 날짜는 11월 19일 이므로, 현재 날짜의 월(month)은 '11월'이다. '11'의 값에 '10'을 더하면 '21'의 값이 나온다. 이 값을 '12'로 나누면 몫은 '2' 이고 나머지는 '9' 이므로 '9월'에 생일을 가진 병원 환자를 검색한다. 단, 사망한 환자는 제외하기 위해 "death IS NULL:을 WHERE 절에 사용한다.

MySQL 서버의 날짜 데이터 값을 처리하는 방법에 대해 알아보았고, 오늘 날짜와 기존의 데이터의 날짜를 비교 • 분석하여 병원환자의 나이를 구해 보았다.

10.2 데이터의 패턴 검색

MySQL은 패턴이 일치하는 데이터 값을 검색할 수가 있다. 본 장에서는 정확한 데이터가 없는 경우에 레코드를 검색하는 방법에 대해 알아보기로 한다. 패턴 일치 수행 작업을 하려면, LIKE와 NOT LIKE 등의 특수한 연산자를 사용하고 와일드 카드 문자(Wildcard Character)를 포함하는 스트링을 지정한다. '_' 문자는 싱글 문자(Single Character)로써 일치하고, '%'는 빈 문자와 연속된 문자에서 일치를 한다. LIKE 또는 NOT LIKE를 사용하는 패턴 일치는 대, 소문자를 구별하지 않는다.

① '이'로 시작하는 이름에 대해서 검색한다.

Terminal

```
1  〉 SELECT * FROM hospital
2  〉 WHERE name LIKE '이%';
```

```
mysql> SELECT * FROM hospital
    -> WHERE name LIKE '이%';
+--------+---------+-----+------------+------------+------------+
| name   | address | sex | disease    | birth      | death      |
+--------+---------+-----+------------+------------+------------+
| 이충한 | 신림동  | 남  | 간암       | 1974-02-05 | 2009-05-22 |
| 이강희 | 이문동  | 여  | 자궁내막암 | 1981-04-30 | NULL       |
+--------+---------+-----+------------+------------+------------+
2 rows in set (0.00 sec)

mysql>
```

② 다음 질의어는 잘못된 예이다.

Terminal

```
1   〉 SELECT * FROM hospital
2   〉 WHERE name '이%';
```

```
mysql> SELECT * FROM hospital
    -> WHERE name = '이%';
Empty set (0.00 sec)

mysql>
```

위의 질의어는 자주 발생되는 에러(error)이다. 에러를 해결하는 방법은 산술 연산자와 비교 연산자를 함께 사용한다. 이 '%' 스트링을 포함하는 컬럼에 비교 연산자를 사용하면 데이터를 검색할 수가 있다.

③ '철'로 끝나는 이름에 대해서 검색한다.

Terminal

```
1   〉 SELECT * FROM hospital
2   〉 WHERE name LIKE '%철';
```

```
mysql> SELECT * FROM hospital
    -> WHERE name LIKE '%철';
+-------+--------+-----+--------+----------+----------+
| name  | address| sex | disease| birth    | death    |
+-------+--------+-----+--------+----------+----------+
| 선종철 | 황천동  | 남  | 폐암    |1951-12-30|2009-07-12|
+-------+--------+-----+--------+----------+----------+
1 row in set (0.00 sec)

mysql>
```

④ '민'을 포함하는 이름을 검색한다.

Terminal

```
1   〉 SELECT * FROM hospital
2   〉 WHERE name LIKE '%민%';
```

```
mysql> SELECT * FROM hospital
    -> WHERE name LIKE '%민%';
+--------+----------+-----+---------+------------+-------+
| name   | address  | sex | disease | birth      | death |
+--------+----------+-----+---------+------------+-------+
| 정민용 | 내방동   | 남  | 위암    | 1986-09-10 | NULL  |
+--------+----------+-----+---------+------------+-------+
1 row in set (0.00 sec)

mysql>
```

⑤ 정확하게 3개의 문자를 포함하는 데이터 값을 disease 컬럼에서 검색하자.

Terminal

```
1  〉 SELECT * FROM hospital
2  〉 WHERE disease LIKE '___';
```

```
mysql> SELECT * FROM hospital
    -> WHERE disease LIKE '___';
+--------+----------+-----+---------+------------+------------+
| name   | address  | sex | disease | birth      | death      |
+--------+----------+-----+---------+------------+------------+
| 강길호 | 청담동   | 남  | 췌장암  | 1967-06-01 | NULL       |
| 김숙자 | 남정동   | 여  | 유방암  | 1962-08-03 | 2008-03-06 |
| 임형택 | 덕산동   | 남  | 피부암  | 1955-07-02 | 2006-03-29 |
| 최태복 | 중앙동   | 남  | 대장암  | 1948-11-21 | NULL       |
+--------+----------+-----+---------+------------+------------+
4 rows in set (0.00 sec)

mysql>
```

⑥ hospital 테이블의 name 컬럼 중의 데이터 중에서 '강'으로 시작하는 이름을 검색하여 name 컬럼을 '이름'으로, sex 컬럼을 '성별'로, disease 컬럼을 '병명'으로 별칭한다.

Terminal

```
1  〉 SELECT name AS '이름', sex AS '성별', disease AS '병명'
2  〉 FROM hospital
3  〉 WHERE name LIKE '강%';
```

```
mysql> SELECT name AS '이름', sex AS '성별', disease AS '병명'
    -> FROM hospital
    -> WHERE name LIKE '강%';
+--------+------+--------+
| 이름   | 성별 | 병명   |
+--------+------+--------+
| 강길호 | 남   | 췌장암 |
+--------+------+--------+
1 row in set (0.01 sec)

mysql>
```

여기서 질의어 패턴은 전체 값과 일치해야 '일치한다'고 하지만, 정규표현은 값의 어느 부분과 일치해도 '일치한다'고 단정한다는 것에 유의해야 한다.

```
〉 SELECT * FROM hospital
〉 WHERE name REGEXP '희';
```

```
〉 SELECT * FROM hospital
〉 WHERE name LIKE '희';
```

예를 들어, 위 두 명령문은 전혀 다른 결과를 낳는다.

정규 표현식의 문자	설 명
.	싱글 문자
*	앞에 사용을 한 문자의 0개 이상 반복
^	문자열 처음
$	문자열 끝
[,]	괄호 안의 문자에 일치
{,}	반복을 나타낼 때 사용, {n}은 n번 반복 사용

① REGEXP '희' 조건문을 사용하여 보자.

Terminal

```
1  > SELECT * FROM hospital
2  > WHERE name REGEXP '희';
```

```
mysql> SELECT * FROM hospital
    -> WHERE name REGEXP '희';
+-------+--------+-----+------------+------------+------------+
| name  | address| sex | disease    | birth      | death      |
+-------+--------+-----+------------+------------+------------+
| 최용희 | 북성동  | 남  | 간암        | 1977-12-12 | 2009-02-15 |
| 이강희 | 이문동  | 여  | 자궁내막암   | 1981-04-30 | NULL       |
+-------+--------+-----+------------+------------+------------+
2 rows in set (0.00 sec)

mysql>
```

② LIKE '희' 조건문을 사용하여 보자.

Terminal

```
1  > SELECT * FROM hospital
2  > WHERE name LIKE '희';
```

```
mysql> SELECT * FROM hospital
    -> WHERE name LIKE '희';
Empty set (0.00 sec)

mysql>
```

문자 a, b, c 중 하나를 가르키는 표현은 [abc]이며, 범위를 주어서 나타낸다. 정규 표현은 대, 소문자를 구별하므로, 대, 소문자에 상관없이 알파벳 싱글 문자를 나타내는 표현은 [a-z A-Z]로 해야 한다. abc는 abc로 끝나는 문자열이고, abc$는 abc로 시작하는 문자열이다. 정규 표현식을 쓸 때는 LIKE 대신 REGEXP를 사용한다.

① 이름이 '이'로 시작하는 조건을 REGEXP를 사용하여 검색하여 보자.

Terminal

```
1  > SELECT * FROM hospital
2  > WHERE name REGEXP '^[이]';
```

```
mysql> SELECT * FROM hospital
    -> WHERE name REGEXP '^[이]';
+--------+---------+------+-------------+------------+------------+
| name   | address | sex  | disease     | birth      | death      |
+--------+---------+------+-------------+------------+------------+
| 이충한 | 신림동  | 남   | 간암        | 1974-02-05 | 2009-05-22 |
| 이강희 | 이문동  | 여   | 자궁내막암  | 1981-04-30 | NULL       |
| 임형택 | 덕산동  | 남   | 피부암      | 1955-07-02 | 2006-03-29 |
+--------+---------+------+-------------+------------+------------+
3 rows in set (0.00 sec)

mysql>
```

② 이름이 '이'로 시작하는 조건을 LIKE를 사용하여 검색한다.

Terminal

```
1  > SELECT * FROM hospital
2  > WHERE name LIKE '^[이]';
```

```
mysql> SELECT * FROM hospital
    -> WHERE name LIKE '^[이]';
Empty set (0.00 sec)

mysql>
```

③ 이름이 '희'로 끝나는 데이터를 REGEXP를 사용하여 검색한다.

Terminal

```
1  > SELECT * FROM hospital
2  > WHERE name REGEXP '희$';
```

```
mysql> SELECT * FROM hospital
    -> WHERE name REGEXP '희$';
+--------+---------+------+-------------+------------+------------+
| name   | address | sex  | disease     | birth      | death      |
+--------+---------+------+-------------+------------+------------+
| 최용희 | 북성동  | 남   | 간암        | 1977-12-12 | 2009-02-15 |
| 이강희 | 이문동  | 여   | 자궁내막암  | 1981-04-30 | NULL       |
+--------+---------+------+-------------+------------+------------+
2 rows in set (0.00 sec)

mysql>
```

④ 이름이 '희로 끝이 나는 데이터를 LIKE를 사용하여 검색한다.

```
Terminal
1  〉SELECT * FROM hospital
2  〉WHERE name LIKE '희$';
```

```
mysql> SELECT * FROM hospital
    -> WHERE name LIKE '희$';
Empty set (0.00 sec)

mysql>
```

정확히 5개의 문자를 가지고 있는 병명을 찾기 위해서는 '^'와 '$'를 패턴 양쪽 끝에 놓고 중간에 다섯 개의 '.' 인스턴스를 넣어둔다.

```
〉SELECT * FROM hospital
〉WHERE disease REGEXP '^.....$';
```

위의 질의어는 {n} ("n"번반복 실행) 연산자를 사용해서 작성할 수 있다.

```
〉SELECT * FROM hospital
〉WHERE disease REGEXP '^.{5}$';
```

클라이언트 MySQL 서버에 저장된 데이터를 패턴으로 검색한다. LIKE, %, $의 특수 문자를 사용해서 데이터를 검색한다. 결과 레코드를 지정된 컬럼으로 나열하여 데이터들을 보여준다.

10.3 데이터의 요약과 별칭

10.3.1 한 개의 컬럼에 저장된 데이터의 레코드 개수를 구하는 작업

데이터를 요약하는 간단한 형식은 데이터를 일정한 값으로 표현하는 것이다.

DISTINCT 키워드를 사용하여 질의어로 수행시킨 결과 데이터 중에서 중복된 행(Duplicate Row)을 제거한다. 예를 들어 보자.

① COUNT() 함수를 이용하여 레코드 개수를 구하는 작업.

- 병원환자가 몇 명인지를 조사해 보자.
- COUNT() 함수를 이용하여 적당하게 조건을 부여하여 검색하자.
- hospital 테이블은 병원환자 테이블이다. hospital 테이블에 저장된 환자가 몇 명인지를 조사하자.

Terminal	
1	〉 SELECT COUNT(*) FROM hospital;

```
mysql> SELECT COUNT(*) FROM hospital;
+----------+
| COUNT(*) |
+----------+
|       10 |
+----------+
1 row in set (0.00 sec)

mysql>
```

② COUNT() 함수를 이용한 WHERE 조건절에서 레코드 개수를 구하는 작업.

- 병원환자 중에서 남성 환자가 몇 명인지를 조사 하자.
- COUNT() 함수를 이용하여 적절한 조건을 주고 데이터 레코드를 검색하자.

Terminal	
1	〉 SELECT COUNT(*) FROM hospital
2	〉 WHERE sex = '남';

```
mysql> SELECT COUNT(*) FROM hospital
    -> WHERE sex = '남';
+----------+
| COUNT(*) |
+----------+
|        8 |
+----------+
1 row in set (0.00 sec)
```

- 병원환자 중에서 여성 환자가 몇 명인지를 조사 하자.
- COUNT() 함수를 이용하여 적절한 조건을 부여하여 검색하자.

Terminal

```
1  〉SELECT COUNT(*) FROM hospital
2  〉WHERE sex = '여';
```

```
mysql> SELECT COUNT(*) FROM hospital
    -> WHERE sex = '여';
+----------+
| COUNT(*) |
+----------+
|        2 |
+----------+
1 row in set (0.00 sec)

mysql>
```

10.3.2 두 개 이상의 컬럼에 저장된 데이터의 레코드 개수를 구하는 작업

COUNT(*)는 모든 행이 선택되어진 개수, COUNT(col_name)는 NULL 값을 제외한 지정된 컬럼만 선택되어진 개수다. 아래 질의어는 컬럼의 개수를 표현한다.

Terminal

```
1  〉SELECT COUNT(*), COUNT(death) FROM hospital;
```

```
mysql> SELECT COUNT(*), COUNT(death) FROM hospital;
+----------+--------------+
| COUNT(*) | COUNT(death) |
+----------+--------------+
|       10 |            5 |
+----------+--------------+
1 row in set (0.00 sec)

mysql>
```

병원 환자는 10명이고, 사망한 환자는 5명이다.

> COUNT(*)는 모든 컬럼의 레코드 개수이고, COUNT(death)는 death 컬럼의 레코드 개수다.

hospital 테이블의 birth 컬럼에 저장된 데이터의 레코드 개수를 구해 보자.

Terminal

```
1  > SELECT COUNT(birth) FROM hospital;
```

```
mysql> SELECT COUNT(birth) FROM hospital;
+--------------+
| COUNT(birth) |
+--------------+
|           10 |
+--------------+
1 row in set (0.00 sec)

mysql>
```

hospital 테이블의 birth 컬럼을 가지고, '1970-01-01'년에서 '1990-01-01' 까지 출생한 환자를 검색하여 보자.

Terminal

```
1  > SELECT COUNT(birth) FROM hospital
2  > WHERE birth >= '1970-01-01' AND birth <= '1990-01-01';
```

```
mysql> SELECT COUNT(birth) FROM hospital
    -> WHERE birth >= '1970-01-01' AND birth <= '1990-01-01';
+--------------+
| COUNT(birth) |
+--------------+
|            5 |
+--------------+
1 row in set (0.01 sec)

mysql>
```

WHERE 조건 A AND 조건 B : 조건 A와 조건 B를 동시에 만족한다.

10.3.3 DISTINCT를 이용하여 중복된 레코드 추려내기

병원 환자 중에서 위암에 걸린 환자가 있다. 그러나 데이터 레코드는 단지 환자가 걸린 암 이름만을 알고자 한다. 중복이 되는 병명은 하나의 병명으로 하고 중복된 행은 출력시키지 않는다. 즉 대표 값만 출력한다.

Terminal	
1	〉 SELECT DISTINCT disease FROM hospital;

```
mysql> SELECT DISTINCT disease FROM hospital;
+------------+
| disease    |
+------------+
| 위암       |
| 간암       |
| 췌장암     |
| 유방암     |
| 자궁내막암 |
| 피부암     |
| 대장암     |
| 폐암       |
+------------+
8 rows in set (0.00 sec)

mysql>
```

DISTINCT는 중복된 레코드는 출력하지 않는다.

MySQL 3.23.2 이후의 버전부터는 COUNT()와 DISTINCT() 를 사용하여 데이터

중에서 서로 다른 값의 개수를 구한다. 병원환자의 병명을 검색 하는데 중복되는 병명은 제외시키고 오로지 서로 다른 병명이 몇 개 인지를 구한다.

Terminal

1	〉 SELECT COUNT(DISTINCT disease) FROM hospital;

```
mysql> SELECT COUNT(DISTINCT disease) FROM hospital;
+-------------------------+
| COUNT(DISTINCT disease) |
+-------------------------+
|                       8 |
+-------------------------+
1 row in set (0.00 sec)

mysql>
```

병원환자의 성별은 남성과 여성이다. 그래서 sex 컬럼의 대표 값을 검색하는 경우에는 남성과 여성 즉, 2개의 데이터가 검색되어 진다. 결과 데이터 값의 개수는 2이다.

Terminal

1	〉 SELECT COUNT(DISTINCT sex) FROM hospital;

```
mysql> SELECT COUNT(DISTINCT sex) FROM hospital;
+---------------------+
| COUNT(DISTINCT sex) |
+---------------------+
|                   2 |
+---------------------+
1 row in set (0.00 sec)

mysql>
```

10.3.4 GROUP BY 컬럼을 이용하여 그룹 설정 작업

다음 질의어는 병원환자를 남성과 여성으로 그룹 설정하고 난 뒤에 그룹의 대표값은 남성고객의 수와 여성고객의 수를 구하는 질의어이다.

Terminal

```
1  〉SELECT sex, COUNT(*)
2  〉FROM hospital GROUP BY sex;
```

```
mysql> SELECT sex, COUNT(*)
    -> FROM hospital GROUP BY sex;
+------+----------+
| sex  | COUNT(*) |
+------+----------+
| 남   |        8 |
| 여   |        2 |
+------+----------+
2 rows in set (0.00 sec)

mysql>
```

즉, 남성 환자가 8명이고, 여성 환자가 2명이다.

> GROUP BY sex는 sex 컬럼의 중복되지 않는 대표값으로, 하나의 그룹으로 설정한다. sex 컬럼값은 '남' 과 '여' 이므로, 대표값은 '남'과 '여' 이다.

병명을 그룹으로 지정하여 같은 병명이 각각 몇 개인지를 구한다.

Terminal

```
1  〉SELECT disease, COUNT(*)
2  〉FROM hospital GROUP BY disease;
```

```
mysql> SELECT disease, COUNT(*)
    -> FROM hospital GROUP BY disease;
+------------+----------+
| disease    | COUNT(*) |
+------------+----------+
| 간암       |        2 |
| 대장암     |        1 |
| 위암       |        2 |
| 유방암     |        1 |
| 자궁내막암 |        1 |
| 췌장암     |        1 |
| 폐암       |        1 |
| 피부암     |        1 |
+------------+----------+
8 rows in set (0.00 sec)
```

disease 컬럼 값을 그룹으로 설정하고, 그룹의 대표 값은 간암, 대장암, 위암, 유방암, 자궁 내막암, 췌장암, 폐암, 피부암이며, 각각의 개수는 2, 1, 2, 1, 1, 1, 1, 1 이다. 데이터 값의 개수를 구하는 경우에는 GROUP BY를 이용하는 작업이 효율적이다.

(참고사항)
MySQL은 데이터 값들을 어떤 방식으로 분류하는지를 보여주고, 분류된 각각의 데이터 값의 개수를 구한다. 데이터 값의 개수를 구하는 COUNT(*)와 GROUP BY 사용은 각각 서로 다른 컬럼 값의 개수를 구한다.

아래와 같은 장점도 있다.

1. 컬럼의 데이터 레코드 값을 요약하는 경우, 사전에 어떤 값으로 요약할지는 결정할 필요가 없다.
2. 단일 질의어(Sing Query)로 수행이 가능하다.
3. 단일 질의어를 실행시켜서 질의어 결과 데이터를 출력한다.

1과 2는 질의어를 쉽게 실행시킬 수가 있고, 3은 질의어 실행결과 데이터 값을 효율적으로 출력이 가능하다.

disease 컬럼 값은 모든 레코드를 검색 조건으로 설정하고, disease 컬럼과 disease 컬럼 개수를 구하려면 반드시 GROUP BY 절을 사용한다. 중복 레코드로 인하여 에러가 발생될 수도 있다. GROUP BY 절을 사용하지 않는 경우에는 다음과 같은 에러가 발생된다.

Terminal	
1	〉 SELECT disease, COUNT(disease) FROM hospital;

```
mysql> SELECT disease, COUNT(disease) FROM hospital;
ERROR 1140 (42000): Mixing of GROUP columns (MIN(),MAX(),COUNT(),...) with no GR
OUP columns is illegal if there is no GROUP BY clause
mysql>
```

설정한 병명에 몇 명이나 환자가 입원 중인지 조사한다.

Terminal

```
1  〉SELECT name , sex, disease, COUNT(*) FROM hospital
2  〉WHERE disease = '위암', OR disease = '췌장암'
3  〉GROUP BY sex, disease;
```

```
mysql> SELECT name, sex, disease, COUNT(*) FROM hospital
    -> WHERE disease = '위암' OR disease = '췌장암'
    -> GROUP BY sex, disease;
+--------+-----+---------+----------+
| name   | sex | disease | COUNT(*) |
+--------+-----+---------+----------+
| 정민용 | 남  | 위암    |        2 |
| 강길호 | 남  | 췌장암  |        1 |
+--------+-----+---------+----------+
2 rows in set (0.00 sec)

mysql>
```

GROUP BY절을 사용하는 경우에는 그룹 분류에 해당하는 컬럼을 정렬해야 한다. 그러나 그룹 분류를 다른 순서로도 정렬할 수가 있다. 예를 들어, 고객이 병명을 그룹으로 표현하고, ORDER BY 절은 아래의 형식에 의하여 사용해보자.

Terminal

```
1  〉SELECT disease, COUNT(*) 개수 FROM hospital
2  〉GROUP BY disease ORDER BY 개수 DESC;
```

```
mysql> SELECT disease, COUNT(*) 갯수 FROM hospital
    -> GROUP BY disease ORDER BY 갯수 DESC;
+------------+------+
| disease    | 갯수 |
+------------+------+
| 위암       |    2 |
| 간암       |    2 |
| 자궁내막암 |    1 |
| 피부암     |    1 |
| 대장암     |    1 |
| 췌장암     |    1 |
| 폐암       |    1 |
| 유방암     |    1 |
+------------+------+
8 rows in set (0.00 sec)

mysql>
```

컬럼을 계산 값에 의해 정렬하는 경우에는 ORDER BY 절에 에일리어스(Alias) 즉, 가명 등을 사용한다. COUNT(*) 컬럼은 '개수'로 가명을 정하였다. 컬럼을 정렬하는 다른 방법은 검색된 데이터의 포지션(Position)에 의해서 정렬을 시키는 것이다. 아래 질의어는 포지션에 의해서 데이터를 정렬한다.

Terminal

```
1    〉 SELECT disease, COUNT(*) 개수 FROM hospital
2    〉 GROUP BY disease ORDER BY 2 DESC;
```

```
mysql> SELECT disease, COUNT(*) 갯수 FROM hospital
    -> GROUP BY disease ORDER BY 2 DESC;
+------------+-----+
| disease    | 갯수 |
+------------+-----+
| 위암        |   2 |
| 간암        |   2 |
| 자궁내막암   |   1 |
| 피부암      |   1 |
| 대장암      |   1 |
| 췌장암      |   1 |
| 폐암        |   1 |
| 유방암      |   1 |
+------------+-----+
8 rows in set (0.00 sec)

mysql>
```

포지션에 의해서 데이터를 정렬한다. 결과 컬럼(Output Column)을 추가(Add), 제거(Remove), 재정렬(Reorder)하는 경우에는 ORDER BY절을 체크하고, 컬럼 개수를 고정시킨다. 가명은 이러한 문제가 발생되지 않는다.

GROUP BY와 ORDER BY를 사용해서 컬럼 값을 계산하는 경우에는 가명 또는 컬럼 포지션에 의하여 결과 데이터를 정렬한다. 아래 질의어는 생일데이터 중에서 월이 같은 환자의 수를 구한다.

Terminal

```
1  〉SELECT MONTH(birth) AS 월, MONTHNAME(birth) AS 월이름,
2  〉COUNT(*) AS 개수
3  〉FROM hospital GROUP BY 월이름 ORDER BY 월;
```

```
mysql> SELECT MONTH(birth) AS 월, MONTHNAME(birth) AS 월이름,
    -> COUNT(*) AS 갯수
    -> FROM hospital GROUP BY 월이름 ORDER BY 월;
+------+-----------+------+
| 월   | 월이름    | 갯수 |
+------+-----------+------+
|    2 | February  |    1 |
|    3 | March     |    1 |
|    4 | April     |    1 |
|    6 | June      |    1 |
|    7 | July      |    1 |
|    8 | August    |    1 |
|    9 | September |    1 |
|   11 | November  |    1 |
|   12 | December  |    2 |
+------+-----------+------+
9 rows in set (0.00 sec)

mysql>
```

COUNT()는 ORDER BY와 LIMIT를 사용하여 데이터의 개수를 구한다.

Terminal

```
1  〉SELECT disease, COUNT(*) AS 개수 FROM hospital
2  〉GROUP BY disease ORDER BY 개수 DESC;
```

```
mysql> SELECT disease, COUNT(*) AS 갯수 FROM hospital
    -> GROUP BY disease ORDER BY 갯수 DESC;
+------------+------+
| disease    | 갯수 |
+------------+------+
| 위암       |    2 |
| 간암       |    2 |
| 자궁내막암 |    1 |
| 피부암     |    1 |
| 대장암     |    1 |
| 췌장암     |    1 |
| 폐암       |    1 |
| 유방암     |    1 |
+------------+------+
8 rows in set (0.00 sec)

mysql>
```

Terminal

```
1 〉 SELECT disease, COUNT(*) AS 개수 FROM hospital
2 〉 GROUP BY disease ORDER BY 개수 DESC LIMIT 3;
```

```
mysql> SELECT disease, COUNT(*) AS 갯수 FROM hospital
    -> GROUP BY disease ORDER BY 갯수 DESC LIMIT 3;
+------------+------+
| disease    | 갯수 |
+------------+------+
| 위암       |    2 |
| 간암       |    2 |
| 자궁내막암 |    1 |
+------------+------+
3 rows in set (0.00 sec)

mysql>
```

질의어 수행 결과 데이터를 LIMIT절로 정렬하지 않는 경우에는 HAVING 절을 사용한다. 아래 질의어는 같은 병명의 환자가 1명 이상 있을 경우 출력하는 질의어이다.

Terminal

```
1 〉 SELECT disease, COUNT(*) AS 개수 FROM hospital
2 〉 GROUP BY disease HAVING 개수 〉 1
3 〉 ORDER BY 개수 DESC;
```

```
mysql> SELECT disease, COUNT(*) AS 갯수 FROM hospital
    -> GROUP BY disease HAVING 갯수 > 1
    -> ORDER BY 갯수 DESC;
+---------+------+
| disease | 갯수 |
+---------+------+
| 위암    |    2 |
| 간암    |    2 |
+---------+------+
2 rows in set (0.00 sec)

mysql>
```

위의 질의어는 일반적으로 컬럼에서 이중 값(Duplicate Value)을 검색하는 형식이다. HAVING의 기능은 WHERE 조건절과 유사하지만 질의어 수행 작업의 결과 데이터에만 적용한다. HAVING은 실질적으로 MySQL 서버에서 클라이언트 사용자에게 보내는 결과 데이터 값들을 줄이기 위해서 사용한다.

연습문제 EXERCISES

아래와 같은 데이터베이스가 있다고 할 때, 지시되는 데로 데이터를 입력, 수정하시오.

테이블 생성

```
1   CREATE TABLE pet(
2   name VARCHAR(20),
3   owner VARCHAR(20),
4   species VARCHAR(20),
5   sex CHAR(1),
6   birth DATE,
7   death DATE);
8
9
10
11  CREATE TABLE  bookstore(
12  number VARCHAR(20),
13  name VARCHAR(20),
14  company VARCHAR(20),
15  price int(20));
16
17
18
19
20  CREATE TABLE video(
21  code char(5),
22  title VARCHAR(20),
23  price int(20),
24  category CHAR(10),
25  date DATE,
26  company VARCHAR(20));,
```

10.1 pet 테이블에서 수컷과 암컷의 수를 출력하시오.

10.2 video 테이블에 포함되어 있는 장르가 몇 종류인지 출력하시오.(중복성제거)

10.3 bookstore 테이블에서 값의 범위가 10,000원 이상인 책을 출력하시오.

10.4 video 테이블에서 장르별로 비디오가 몇 개씩인지 출력하시오.

아래와 같은 데이터베이스가 있다고 할 때, 지시되는 대로 데이터를 검색하시오.

성적 테이블(grade table) Primary key : 학번

학번	교과번호	중간고사	기말고사
81	a310	46	65
92	b560	83	69
73	a310	80	73
85	a310	96	99
74	c430	74	61
79	c430	71	85
41	b560	68	45
83	e290	83	45
30	b560	35	40
80	a310	67	45
50	e290	76	88

학생테이블(student table)　Primary key : 학번

학번	이름	학과	성별	학년	지도교수	연락처
81	보라미	법학과	남	1	김현재	348-4556
92	미라미	사학과	남	2	김상수	401-2341
73	이원지	회계학과	남	3	이진철	382-3452
85	김철원	법학과	남	1	김현재	457-6548
74	박한솔	사학과	여	2	김상수	348-4867
79	소리샘	회계학과	남	3	이진철	391-6123
41	남동하	사학과	남	4	정철민	280-7123
83	조미미	사학과	여	3	장하나	367-4987
30	한아름	회계학과	남	3	이진철	200-1234
80	김인식	법학과	여	2	장윤정	373-4872
50	김춘숙	사학과	여	1	나미자	413-6123

과목테이블　Primary key : 교과번호

교과번호	교과명	담당교수	학점
a310	컴퓨터	차인표	2
b560	콘텐츠	백두산	3
a310	컴퓨터	차인표	2
a310	컴퓨터	차인표	2
c430	엑셀	이소라	3
c430	엑셀	이소라	3
b560	콘텐츠	백두산	3
e290	자바	지양	6
b560	콘텐츠	백두산	3
a310	컴퓨터	차인표	2
e290	자바	지양	6

10.5 교과번호 "a310"을 수강한 학생들의 학과를 출력하시오.

10.6 회계학과 3학년 학생들이 수강한 모든 과목을 출력하시오.

10.7 교과번호 "c430"을 수강한 학생들의 중간고사 점수의 평균을 출력하시오.

10.8 법학과 학생들이 수강하는 모든 과목에 대한 기말고사 성적의 평균을 출력 하시오.

11장. 다중 테이블의 데이터 수행 작업

MySQL은 조인 연산을 이용하여 다중 테이블의 데이터 정보를 검색 한다. 조인 연산은 각각의 서로 다른 테이블의 데이터를 불러와서 데이터를 결합시키며, 각 테이블의 데이터 중에서 동일한 데이터 값을 검색한다.

11.1 데이터를 생성하는 작업

cancerward 테이블은 암 병동에 입원중인 환자들의 데이터가 저장되어 있다. 암 병동 환자들의 이름, 성별, 상태, 병명, 입원날짜, 사망날짜가 컬럼으로 잡혀있고, 이 병원환자들은 patient 테이블의 환자정보와 연결되어 있다. cancerward 테이블은 아래와 같은 조건을 만족한다.

- name 컬럼은 암 병동에 입원중인 환자의 이름이다.
- sex 컬럼은 암 병동에 입원중인 환자의 성별이다.
- type 컬럼은 암 병동에 입원중인 환자의 상태이다.
- disease 컬럼은 암 병동에 입원중인 환자의 병명이다.
- hospitalization 컬럼은 암 병동에 입원중인 환자의 입원날짜이다.
- death 컬럼은 암 병동에 입원중인 환자의 사망날짜이다.

① 아래의 질의어는 vi 편집기로 생성한 canserward 테이블이다.

```
CREATE TABLE cancerward(
name VARCHAR(10),
sex CHAR(1),
disease VARCHAR(10),
hospitalization DATE,
death DATE);

INSERT INTO cancerward VALUES('정민용','남','위암','2007-01-13',NULL);
INSERT INTO cancerward VALUES('이충한','남','간암','2005-05-09','2009-05-22');
INSERT INTO cancerward VALUES('강길호','남','췌장암','2006-07-02',NULL);
INSERT INTO cancerward VALUES('김숙자','여','유방암','2004-09-21','2008-03-06');
INSERT INTO cancerward VALUES('최용희','남','간암','2008-06-09','2009-02-15');
INSERT INTO cancerward VALUES('이강희','여','자궁내막암','2006-09-22',NULL);
INSERT INTO cancerward VALUES('김동건','남','위암','2005-05-11',NULL);
INSERT INTO cancerward VALUES('임형택','남','피부암','2004-09-19','2006-03-29');
INSERT INTO cancerward VALUES('최태복','남','대장암','2009-01-14',NULL);
INSERT INTO cancerward VALUES('선종철','남','폐암','2007-08-09','2009-07-12');
```

Terminal

```
1    # ./mysql -u root -p hospital < cancerward.sql
```

리눅스 프롬프트 창에서 MySQL로 접속하여 cancerward 파일을 호출한다.

(보충설명)
CREATE TABLE 테이블명
(컬럼명1, 컬럼타입,
컬럼명2 컬럼타입
 );

CREATE TABLE 테이블명 : 테이블명을 생성하는 명령어
컬럼명1 : 설정된 테이블의 첫 번째 컬럼
컬럼타입 : 컬럼이 문자 타입 또는 숫자형 타입을 설정

(cancerward 테이블 상세 설명)
name VARCHAR(10) : name 컬럼은 가변길이 컬럼타입이고, 10개까지 문자 저장이 가능하다.
sex CHAR(1) : sex 컬럼은 고정길이 컬럼타입이고, 1개의 문자 저장이 가능하다.
disease VARCHAR(10) : disease 컬럼은 가변길이 컬럼타입이고, 10개까지 문자 저장이 가능하다.
hospitalization DATE : hospitalization 컬럼은 날짜 컬럼타입이고 0000-00-00 형식으로 저장이 가능하다.
death DATE : death 컬럼은 날짜 컬럼타입이고 0000-00-00 형식으로 저장이 가능하다.

② 'DESC 테이블명'은 설정된 테이블의 구조와 컬럼 정보를 보여준다. DESC cancerward 명령어는 cancerward 테이블의 구조와 컬럼 정보를 보여준다.

Terminal

```
1    〉 DESC cancerward;
```

```
mysql> DESC cancerward;
+-----------------+-------------+------+-----+---------+-------+
| Field           | Type        | Null | Key | Default | Extra |
+-----------------+-------------+------+-----+---------+-------+
| name            | varchar(10) | YES  |     | NULL    |       |
| sex             | char(1)     | YES  |     | NULL    |       |
| type            | varchar(10) | YES  |     | NULL    |       |
| disease         | varchar(10) | YES  |     | NULL    |       |
| hospitalization | date        | YES  |     | NULL    |       |
| death           | date        | YES  |     | NULL    |       |
+-----------------+-------------+------+-----+---------+-------+
6 rows in set (0.00 sec)

mysql>
```

③ cancerward 테이블에 데이터 파일이 정확하게 저장이 되어 있는지를 조사해 보자. SELECT 명령어를 실행시켜서 cancerward 테이블의 데이터를 검색한다.

Terminal

```
1    〉 SELECT * FROM canserward;
```

```
mysql> SELECT * FROM cancerward;
+--------+-----+------+------------+-----------------+------------+
| name   | sex | type | disease    | hospitalization | death      |
+--------+-----+------+------------+-----------------+------------+
| 정민용 | 남  | 입원 | 위암       | 2007-01-13      | NULL       |
| 이충한 | 남  | 입원 | 간암       | 2005-05-09      | 2009-05-22 |
| 강길호 | 남  | 입원 | 췌장암     | 2006-07-02      | NULL       |
| 김숙자 | 여  | 입원 | 유방암     | 2004-09-21      | 2008-03-06 |
| 최용희 | 남  | 입원 | 간암       | 2008-06-09      | 2009-02-15 |
| 이강희 | 여  | 입원 | 자궁내막암 | 2006-09-22      | NULL       |
| 김동건 | 남  | 입원 | 위암       | 2005-05-11      | NULL       |
| 임형택 | 남  | 입원 | 피부암     | 2004-09-19      | 2006-03-29 |
| 최태복 | 남  | 입원 | 대장암     | 2009-01-14      | NULL       |
| 선종철 | 남  | 입원 | 폐암       | 2007-08-09      | 2009-07-12 |
+--------+-----+------+------------+-----------------+------------+
10 rows in set (0.00 sec)

mysql>
```

④ 마찬가지로 vi편집기로 생성한 patient 테이블이다.

```
CREATE TABLE patient(
name CHAR(10),
address VARCHAR(10),
sex CHAR(1),
job VARCHAR(20),
birth DATE);

INSERT INTO patient VALUES('정민용','내방동','남','대학생','1986-09-10');
INSERT INTO patient VALUES('이충한','신림동','남','자영업','1974-02-05');
INSERT INTO patient VALUES('강길호','청담동','남','교사','1967-06-01');
INSERT INTO patient VALUES('김숙자','남정동','여','주부','1962-08-03');
INSERT INTO patient VALUES('최용희','북성동','남','무직','1977-12-12');
INSERT INTO patient VALUES('이강희','이문동','여','보험설계사','1981-04-30');
INSERT INTO patient VALUES('김동건','논현동','남','경찰','1972-03-07');
INSERT INTO patient VALUES('임형택','덕산동','남','무직','1955-07-02');
INSERT INTO patient VALUES('최태복','중앙동','남','공인중계업','1948-11-21');
INSERT INTO patient VALUES('선종철','황천동','남','교사','1951-12-30');
```

Terminal

```
1    # ./mysql -u root -p hospital < patient
```

리눅스 프롬프트 창에서 MySQL로 접속하여 patient 파일을 호출한다.

⑤ DESC 명령어로 patient 테이블의 컬럼 정보를 살펴본다.

Terminal

```
1    > DESC patient;
```

```
mysql> DESC patient;
+---------+-------------+------+-----+---------+-------+
| Field   | Type        | Null | Key | Default | Extra |
+---------+-------------+------+-----+---------+-------+
| name    | char(10)    | YES  |     | NULL    |       |
| address | varchar(10) | YES  |     | NULL    |       |
| sex     | char(1)     | YES  |     | NULL    |       |
| job     | varchar(20) | YES  |     | NULL    |       |
| birth   | date        | YES  |     | NULL    |       |
+---------+-------------+------+-----+---------+-------+
5 rows in set (0.00 sec)

mysql>
```

⑥ SELECT 명령어로 patient 테이블이 정확하게 저장되었는지를 살펴보자.

Terminal

```
1   > SELECT * FROM patient;
```

```
mysql> SELECT * FROM patient;
+--------+---------+-----+------------+------------+
| name   | address | sex | job        | birth      |
+--------+---------+-----+------------+------------+
| 정민용 | 내방동  | 남  | 대학생     | 1986-09-10 |
| 이충한 | 신림동  | 남  | 자영업     | 1974-02-05 |
| 강길호 | 청담동  | 남  | 교사       | 1967-06-01 |
| 김숙자 | 남정동  | 여  | 주부       | 1962-08-03 |
| 최용희 | 북성동  | 남  | 무직       | 1977-12-12 |
| 이강희 | 이문동  | 여  | 보험설계사 | 1981-04-30 |
| 김동건 | 논현동  | 남  | 경찰       | 1972-03-07 |
| 임형택 | 덕산동  | 남  | 무직       | 1955-07-02 |
| 최태복 | 중앙동  | 남  | 공인중계업 | 1948-11-21 |
| 선종철 | 황천동  | 남  | 교사       | 1951-12-30 |
+--------+---------+-----+------------+------------+
10 rows in set (0.00 sec)

mysql>
```

11.2 테이블의 컬럼을 부분 지정자로 설정

cancerward 테이블에서 MySQL 질의어를 실행시켰다. 마찬가지로 patient 테이블에서도 여러 가지의 질의어를 실행시킬 것이다. 그러나 patient 테이블만 MySQL 질의어를 실행시켜서는 원하는 정보들을 올바르게 출력시킬 수 없다. 예를 들어, 환자의 나이는 cancerward 테이블에서는 알 수가 없다. 이러한 경우에는 patient 테이블에서 데이터 정보를 검색하여 부족한 정보를 알아낼 수가 있다. 암병동 환자 테이블인 cancerward 테이블과 환자정보 테이블인 patient 테이블에서 정보를 검색한다.

아래의 질의어는 cancerward 테이블과 patient 테이블에서 데이터를 검색한다. cancerward.name 은 cancerward 테이블의 name 컬럼이고, AS는 컬럼명을 별칭으로 설정하고, FLOOR() 함수는 소수점 부분의 숫자를 삭제하여 오로지 정수만 출력한다.

Terminal

```
1  〉 SELECT cancerward.name AS '성명',
2  〉 FLOOR((TO_DAYS(CURRENT_DATE) - TO_DAYS(birth))/365)
3  〉 AS '나이', type AS '상태'
4  〉 FROM cancerward, patient
5  〉 WHERE death IS NOT NULL AND
6  〉 cancerward.name = patient.name AND type = '입원';
```

```
mysql> SELECT cancerward.name AS '성명',
    -> FLOOR((TO_DAYS(CURRENT_DATE) - TO_DAYS(birth))/365) AS '나이',
    -> type AS '상태'
    -> FROM cancerward, patient
    -> WHERE death IS NOT NULL AND
    -> cancerward.name = patient.name AND type = '입원';
+-------+-----+-----+
| 성명   | 나이 | 상태 |
+-------+-----+-----+
| 이충한 |   35 | 입원 |
| 김숙자 |   47 | 입원 |
| 최용희 |   31 | 입원 |
| 임형택 |   54 | 입원 |
| 선종철 |   57 | 입원 |
+-------+-----+-----+
5 rows in set (0.00 sec)

mysql>
```

(보충설명)

SELECT FLOOR(39.2) ☞ 39

SELECT FLOOR(39.9) ☞ 39

소수점 이하 숫자는 삭제가 되고 정수부분만 출력한다.

MySQL 함수값 또는 수식 계산값을 구하려는 경우에는 함수값 또는 수식 앞에 SELECT 명령어를 사용한다.

Terminal

```
1  〉 SELECT FLOOR(39.2);
```

```
mysql> SELECT FLOOR(39.2);
+-------------+
| FLOOR(39.2) |
+-------------+
|          39 |
+-------------+
1 row in set (0.01 sec)

mysql>
```

Terminal

```
1    > SELECT FLOOR(39.9);
```

```
mysql> SELECT FLOOR(39.9);
+-------------+
| FLOOR(39.9) |
+-------------+
|          39 |
+-------------+
1 row in set (0.00 sec)

mysql>
```

위의 MySQL 질의어는 cancerward 테이블의 name 컬럼값과 patient 테이블의 name 컬럼값을 비교하여 동일한 데이터를 가진 레코드를 검색하고, type 컬럼값에서 '입원' 레코드를 검색하여 TO_DAY(CURRENT_DATE) - TO_DAYS(birth)를 계산하고 난 뒤에 365로 나누어준다. 그러면 환자의 나이가 실수값 형태로 출력이 된다. FLOOR() 함수를 사용하여 소수점 아래의 숫자는 삭제한다. MySQL 질의어 실행 결과값은 name 컬럼, FLOOR() 함수값, type 컬럼명을 각각 성명, 나이, 상태로 별칭하여 각각의 데이터 레코드를 출력한다.

- FROM절에는 하나 또는 2개 이상의 테이블명을 설정한다. MySQL 서버는 설정된 테이블에서 데이터 수행처리 작업을 한다.
- FROM cancerward, patient : cancerward 테이블과 patient 테이블에서 데이터를 불러오는 작업을 한다.
- WHERE 조건절은 cancerward 테이블과 patient 테이블에서 name 컬럼의 데이터 패턴 검사를 한다.

→ WHERE... cancerward.name = patient.name : WHERE 절cancerward.name = patient.name 조건을 부여 하고, cancerward 테이블의 name 컬럼 데이터는

patient 테이블의 name 컬럼 데이터가 동일한 데이터 패턴 값인 경우에만 수행을 하고, 데이터 패턴이 일치하지 않는 경우에는 수행 작업을 하지 않는다.

- cancerward 테이블과 patient 테이블에서는 각각의 name 컬럼이 존재하므로, 어느 테이블의 name 컬럼인지를 구분해 주어야 한다. 〈테이블 이름〉, 〈컬럼 이름〉의 형식으로 설정을 한다. 즉, 테이블 이름과 컬럼 이름을 콤마로 구분한다.

11.3 테이블의 모든 컬럼을 전체 지정자로 설정

MySQL 질의어는 테이블의 컬럼 지정자(Table Qualifier) 없이 서로 다른 컬럼에서 수행 작업을 하였다. 테이블 컬럼 지정자는 어느 테이블의 컬럼을 수행할 것인지를 지정한다. 다음과 같이 정확하게 테이블의 컬럼을 지정하여 MySQL 서버에서 각각의 테이블 컬럼의 데이터 처리 수행작업을 실행하여 보자.

cancerward.name은 cancerward 테이블의 name 컬럼이고, cancerward.type는 cancerward 테이블의 type 컬럼이고, cancerward.death는 cancerward 테이블의 death 컬럼이다.

```
mysql> SELECT cancerward.name AS '성명',
    -> FLOOR((TO_DAYS(CURRENT_DATE) - TO_DAYS(patient.birth))/365)
    -> AS '나이', cancerward.type AS '상태'
    -> FROM cancerward, patient
    -> WHERE cancerward.death IS NOT NULL AND
    -> cancerward.name = patient.name AND cancerward.type = '입원';
+-------+-----+-----+
| 성명  | 나이 | 상태 |
+-------+-----+-----+
| 이충한 |   35 | 입원 |
| 김숙자 |   47 | 입원 |
| 최용희 |   31 | 입원 |
| 임형택 |   54 | 입원 |
| 선종철 |   57 | 입원 |
+-------+-----+-----+
5 rows in set (0.00 sec)

mysql>
```

Terminal	
1	〉 SELECT cancerward.name AS '성명',
2	〉 FLOOR((TO_DAYS(CURRENT_DATE) - TO_DAYS(birth))/365)
3	〉 AS '나이', cancerward.type AS '상태'
4	〉 FROM cancerward, patient
5	〉 WHERE cancerward.death IS NOT NULL AND
6	〉 cancerward.name = patient.name AND cancerward.type = '입원';

아래의 MySQL 질의어는 cancerward 테이블과 patient 테이블의 모든 컬럼에 테이블을 지정하는 전체 지정자(Fully Qualify) 형식을 사용한다. 컬럼에 전체 지정자를 사용하는 경우에는 어느 테이블의 컬럼인지 혼동이 없다는 장점이 있다.
현재 사망하지 않은 환자중에서, cancerward 테이블의 name과 patient 테이블의 name이 일치하며, 입원중인 환자들 중에서 cancerward 테이블의 name은 성명으로, sex는 성별로, disease는 병명으로, type는 병명으로, type는 상태로 나타내며, patient 테이블의 address는 주소로 별칭한다.

```
mysql> SELECT cancerward.name AS '성명',
    -> patient.address  AS '주소',
    -> cancerward.sex AS '성별',
    -> cancerward.disease AS '병명',
    -> cancerward.type AS '상태'
    -> FROM cancerward, patient
    -> WHERE cancerward.death IS NOT NULL AND
    -> cancerward.name = patient.name AND cancerward.type = '입원';
+--------+--------+------+--------+------+
| 성명   | 주소   | 성별 | 병명   | 상태 |
+--------+--------+------+--------+------+
| 이충한 | 신림동 | 남   | 간암   | 입원 |
| 김숙자 | 남정동 | 여   | 유방암 | 입원 |
| 최용희 | 북성동 | 남   | 간암   | 입원 |
| 임형택 | 덕산동 | 남   | 피부암 | 입원 |
| 선종철 | 황천동 | 남   | 폐암   | 입원 |
+--------+--------+------+--------+------+
5 rows in set (0.00 sec)

mysql>
```

Terminal

```
1  > SELECT cancerward.name AS '성명',
2  > patient.address AS '주소',
3  > cancerward.sex AS '성별',
4  > cancerward.disease AS '병명',
5  > cancerward.type AS '상태',
6  > FROM cancerward, patient
7  > WHERE cancerward.death IS NOT NULL AND
8  > cancerward.name = patient.name AND cancerward.type = '입원';
```

11.4 레프트 조인을 이용한 테이블의 데이터 검색 작업

아래에는 앞으로 실행을 할 MySQL 질의어와 이전에 실행하였던 MySQL 질의어의 다른 형식을 설명한다.

- name 컬럼은 현재 MySQL 실행 작업에서는 어느 테이블의 컬럼인지 혼동이 온다. 따라서 사용하는 테이블의 이름을 cancerward.name 또는 patient.name으로 지정한다. 모든 컬럼에 테이블의 이름을 전체 지정하는 것은 번거롭고 귀찮은 작업이다.
- cancerward 테이블의 name 컬럼값과 patient 테이블의 name 컬럼값의 검색 작업을 부가적으로 조건을 부여한다. 즉, name 컬럼값을 기반으로 하여 MySQL 질의어를 실행한다.
  WHERE ... cancerward.name = patient.name
- MySQL 질의어는 결과 데이터를 환자들의 이름과 성별 등으로 출력한다.

레프트 조인(Left Join)은 LEFT JOIN 연산을 사용해서 테이블의 레코드값을 선택한다. patient 테이블을 지정하고, cancerward 테이블의 컬럼에 레코드를 조인해서 결과를 출력시킨다.

다음은 레프트 조인을 이용한 MySQL 질의어이다.

Terminal

```
1  > SELECT cancerward.name, cancerward.sex,
2  > patient.address, cancerward.disease,
3  > cancerward.type, cancerward.hospitalization,
4  > patient.birth
5  > FROM cancerward LEFT JOIN patient
6  > ON cancerward.name = patient.name;
```

```
mysql> SELECT cancerward.name, cancerward.sex,
    -> patient.address, cancerward.disease,
    -> cancerward.type, cancerward.hospitalization,
    -> patient.birth
    -> FROM cancerward LEFT JOIN patient
    -> ON cancerward.name = patient.name;
+-------+-----+--------+----------+-----+-----------------+------------+
| name  | sex | address| disease  | type| hospitalization | birth      |
+-------+-----+--------+----------+-----+-----------------+------------+
| 정민용 | 남  | 내방동  | 위암      | 입원 | 2007-01-13      | 1986-09-10 |
| 이충한 | 남  | 신림동  | 간암      | 입원 | 2005-05-09      | 1974-02-05 |
| 강길호 | 남  | 청담동  | 췌장암    | 입원 | 2006-07-02      | 1967-06-01 |
| 김숙자 | 여  | 남정동  | 유방암    | 입원 | 2004-09-21      | 1962-08-03 |
| 최용희 | 남  | 북성동  | 간암      | 입원 | 2008-06-09      | 1977-12-12 |
| 이강희 | 여  | 이문동  | 자궁내막암 | 입원 | 2006-09-22      | 1981-04-30 |
| 김동건 | 남  | 논현동  | 위암      | 입원 | 2005-05-11      | 1972-03-07 |
| 임형택 | 남  | 덕산동  | 피부암    | 입원 | 2004-09-19      | 1955-07-02 |
| 최태복 | 남  | 중앙동  | 대장암    | 입원 | 2009-01-14      | 1948-11-21 |
| 선종철 | 남  | 황천동  | 폐암      | 입원 | 2007-08-09      | 1951-12-30 |
+-------+-----+--------+----------+-----+-----------------+------------+
10 rows in set (0.00 sec)

mysql>
```

연습문제 EXERCISES

아래와 같은 데이터베이스가 있다고 할 때, 지시되는 데로 데이터를 입력, 수정하시오.

테이블

```
1   CREATE TABLE hospital(
2   name VARCHAR(20),
3   address VARCHAR(20),
4   sex CHAR(1),
5   disease VARCHAR(20), // 병명
6   type VARCHAR(20),    // 입원 or 진료
7   f_date DATE);            // 입원일 or 첫 진료일
8
9
10  CREATE TABLE  patient(
11  number VARCHAR(20),    // 환자코드
12  name VARCHAR(20),
13  age  int(10),                    // 연세
14  disease VARCHAR(20);      // 병명
15
16
17
18  CREATE TABLE admission(
19  code VARCHAR(20),         // 환자코드
20  number VARCHAR(20),    // 입원 환자 병실
21  period DATE,                  // 퇴원 예정일
22  price int(20),                 // 입원비
23  category CHAR(10);        //  병명
24
25
26
```

11.1 hospital 테이블에서 name과 patient 테이블의 name을 비교하여 동일한 환자의 이름을 출력하시오.

11.2 hospital 테이블과 patient 테이블을 대상으로 똑같이 위암에 걸린 환자를 출력하시오.

11.3 나이가 50세 이상인 환자들이 걸린 병명은 어떤 것들이 있는지 모두 출력하시오.

11.4 '2009-03-21'일에 입원한 환자 가운데 77호 병실에 입원한 환자를 출력하시오.

12장. 기존 테이블의 데이터 업데이트 작업

12.1 DROP 제거 명령어

```
DROP 테이블명
```

DROP 테이블명 명령은 테이블뿐만 아니라, 데이터와 테이블의 컬럼까지 제거(drop)하므로, 신중하게 사용하여야 한다.

① pet.sql을 편집한다.

```
# vi pet.sql
```

② vi 유틸리티를 사용하여 pet.sql을 편집한다. 빠져 나올 때에는 ESC 키를 누르고, “:” 를 누르고 난 후에 “:w pet.sql"을 입력한다. 다시 ESC 키를 누르고 ":wq"를 입력하면 빠져 나온다.

Terminal

```
1    #   vi pet.sql
```

```
CREATE TABLE pet(
name VARCHAR(20),
owner VARCHAR(20),
species VARCHAR(20),
sex CHAR(1),
birth DATE,
death DATE);

INSERT INTO pet VALUES('Puffball','Min-Yong','hamster','m','2006-06-18',NULL);
INSERT INTO pet VALUES('Banny','Tae-Hee','rabbit','f','2007-02-11',NULL);
INSERT INTO pet VALUES('Nero','Dea-Seung','dog','f','2005-12-30','2009-03-09');
INSERT INTO pet VALUES('JangGun','Min-Yong','dog','m','2007-01-23',NULL);
INSERT INTO pet VALUES('Pony','Dea-Seung','bird','m','2009-5-30',NULL);
INSERT INTO pet VALUES('Ruru','Min-Yong','cat','m','2008-05-05',NULL);
INSERT INTO pet VALUES('Hade','Dea-Seung','bird','f','2005-03-08','2008-0[illegible]-11');
INSERT INTO pet VALUES('Bobo','So-Jung','dog','m','2008-04-15',NULL);
INSERT INTO pet VALUES('Spark','Tae-Hee','cat','f','2006-01-01','2009-8-27');
INSERT INTO pet VALUES('Kiki','So-Jung','cat','f','2007-09-19',NULL);



:w pet.sql
```

③ pet.sql 파일을 저장하고, vi 구문에서 빠져나온다.

```
CREATE TABLE pet(
name VARCHAR(20),
owner VARCHAR(20),
species VARCHAR(20),
sex CHAR(1),
birth DATE,
death DATE);

INSERT INTO pet VALUES('Puffball','Min-Yong','hamster','m','2006-06-18',NULL);
INSERT INTO pet VALUES('Banny','Tae-Hee','rabbit','f','2007-02-11',NULL);
INSERT INTO pet VALUES('Nero','Dea-Seung','dog','f','2005-12-30','2009-03-09');
INSERT INTO pet VALUES('JangGun','Min-Yong','dog','m','2007-01-23',NULL);
INSERT INTO pet VALUES('Pony','Dea-Seung','bird','m','2009-5-30',NULL);
INSERT INTO pet VALUES('Ruru','Min-Yong','cat','m','2008-05-05',NULL);
INSERT INTO pet VALUES('Hade','Dea-Seung','bird','f','2005-03-08','2008-0[illegible]-11');
INSERT INTO pet VALUES('Bobo','So-Jung','dog','m','2008-04-15',NULL);
INSERT INTO pet VALUES('Spark','Tae-Hee','cat','f','2006-01-01','2009-8-27');
INSERT INTO pet VALUES('Kiki','So-Jung','cat','f','2007-09-19',NULL);

:wq
```

④ MySQL 서버의 pet 데이터베이스에 pet.sql 질의어 명령을 실행하자. pet.sql 파일의 질의어 명령 실행으로 pet 테이블에 데이터를 저장한다.

```
# ./mysql -u root -p pet < pet.sql
```

⑤ MySQL 서버로 접속한다.

```
# ./mysql -u root -p pet
```

유저 : root, 데이터베이스명 : pet

```
[root@localhost bin]# ./mysql -u root -p pet
Enter password:
Reading table information for completion of table and column names
You can turn off this feature to get a quicker startup with -A

Welcome to the MySQL monitor.  Commands end with ; or \g.
Your MySQL connection id is 1
Server version: 5.0.33 Source distribution

Type 'help;' or '\h' for help. Type '\c' to clear the buffer.

mysql>
```

⑥ pet 테이블의 데이터를 검색해 보자.

Terminal

```
1    〉SELECT * FROM pet;
```

```
mysql> SELECT * FROM pet;
+----------+-----------+---------+-----+------------+------------+
| name     | owner     | species | sex | birth      | death      |
+----------+-----------+---------+-----+------------+------------+
| Puffball | Min-Yong  | hamster | m   | 2006-08-22 | NULL       |
| Banny    | Tae-Hee   | rabbit  | f   | 2007-02-11 | NULL       |
| Nero     | Dea-Seung | dog     | f   | 2005-12-30 | 2009-03-09 |
| JangGun  | Min-Yong  | dog     | m   | 2007-01-23 | NULL       |
| Pony     | Dea-Seung | bird    | f   | 2009-05-30 | NULL       |
| Ruru     | Min-Yong  | cat     | m   | 2008-05-05 | NULL       |
| Hade     | Dea-Seung | bird    | f   | 2005-03-08 | 2008-08-11 |
| Bobo     | So-Jung   | dog     | m   | 2008-04-15 | NULL       |
| Spark    | Tae-Hee   | cat     | f   | 2006-01-01 | 2009-08-27 |
| Kiki     | So-Jung   | cat     | f   | 2007-09-19 | NULL       |
| Mini     | So-Jung   | rabbit  | m   | 2009-03-08 | NULL       |
+----------+-----------+---------+-----+------------+------------+
11 rows in set (0.00 sec)

mysql>
```

⑦ pet 데이터베이스의 모든 테이블을 출력한다.

Terminal

```
1    〉SHOW TABLES;
```

```
mysql> SHOW TABLES;
+--------------+
| Tables_in_pet |
+--------------+
| pet          |
+--------------+
1 row in set (0.00 sec)

mysql>
```

⑧ pet 테이블과 데이터를 제거한다.

Terminal	
1	〉DROP TABLE pet;

```
mysql> DROP TABLE pet;
Query OK, 0 rows affected (0.00 sec)

mysql>
```

⑨ 모든 테이블을 출력한다.

Terminal	
1	〉SHOW TABLES;

```
mysql> SHOW TABLES;
Empty set (0.00 sec)

mysql>
```

위의 결과와 같이 pet 테이블이 DROP TABLE 명령어로 인해 삭제되었다.

12.2 UPDATE 명령문의 WHERE 조건절

UPDATE 명령으로 테이블의 레코드 데이터를 수정한다.

```
UPDATE 테이블명 SET 수정컬럼
WHERE 업데이트 레코드
```

Terminal

```
1    〉SELECT * FROM hospital;
```

```
mysql> SELECT * FROM hospital;
+--------+---------+-----+----------+------------+------------+
| name   | address | sex | disease  | birth      | death      |
+--------+---------+-----+----------+------------+------------+
| 정민용 | 내방동  | 남  | 위암     | 1986-09-10 | NULL       |
| 이충한 | 신림동  | 남  | 간암     | 1974-02-05 | 2009-05-22 |
| 강길호 | 청담동  | 남  | 췌장암   | 1967-06-01 | NULL       |
| 김숙자 | 남정동  | 여  | 유방암   | 1962-08-03 | 2008-03-06 |
| 최용희 | 북성동  | 남  | 간암     | 1977-12-12 | 2009-02-15 |
| 이강희 | 이문동  | 여  | 자궁내막암 | 1981-04-30 | NULL     |
| 김동건 | 논현동  | 남  | 위암     | 1972-03-07 | NULL       |
| 임형택 | 덕산동  | 남  | 피부암   | 1955-07-02 | 2006-03-29 |
| 최태복 | 중앙동  | 남  | 대장암   | 1948-11-21 | NULL       |
| 선종철 | 황천동  | 남  | 폐암     | 1951-12-30 | 2009-07-12 |
+--------+---------+-----+----------+------------+------------+
10 rows in set (0.01 sec)

mysql>
```

아래 질의어는 WHERE 조건절을 사용하지 않았기 때문에, 모든 병원환자의 이름을 '정민용'으로 수정해 버린다.

Terminal

```
1    〉UPDATE hospital SET name = '정민용';
```

```
mysql> UPDATE hospital SET name = '정민용';
Query OK, 9 rows affected (0.00 sec)
Rows matched: 10  Changed: 9  Warnings: 0

mysql>
```

Terminal

```
1    〉SELECT * FROM hospital;
```

```
mysql> SELECT * FROM hospital;
+-------+---------+-----+------------+------------+------------+
| name  | address | sex | disease    | birth      | death      |
+-------+---------+-----+------------+------------+------------+
| 정민용 | 내방동   | 남  | 위암        | 1986-09-10 | NULL       |
| 정민용 | 신림동   | 남  | 간암        | 1974-02-05 | 2009-05-22 |
| 정민용 | 청담동   | 남  | 췌장암      | 1967-06-01 | NULL       |
| 정민용 | 남정동   | 여  | 유방암      | 1962-08-03 | 2008-03-06 |
| 정민용 | 북성동   | 남  | 간암        | 1977-12-12 | 2009-02-15 |
| 정민용 | 이문동   | 여  | 자궁내막암  | 1981-04-30 | NULL       |
| 정민용 | 논현동   | 남  | 위암        | 1972-03-07 | NULL       |
| 정민용 | 덕산동   | 남  | 피부암      | 1955-07-02 | 2006-03-29 |
| 정민용 | 중앙동   | 남  | 대장암      | 1948-11-21 | NULL       |
| 정민용 | 황천동   | 남  | 폐암        | 1951-12-30 | 2009-07-12 |
+-------+---------+-----+------------+------------+------------+
10 rows in set (0.00 sec)

mysql>
```

실행 결과를 보면, 병원환자의 이름이 모두 '정민용'으로 수정되어 있다. 위의 질의어를 사용하는 경우에는 주의 깊게 수행 작업을 해야 한다. 일반적으로 데이터 값을 업데이트하는 경우에는 레코드를 지정한다. 병원환자 테이블인 hospital 테이블에 최근에 입원한 병원환자의 데이터를 추가하여 보자.

Terminal

```
1  〉 INSERT hospital(name, address, sex)
2  〉 VALUES('금지옥','쌍촌동','남');
```

```
mysql> INSERT hospital(name, address, sex)
    -> VALUES('금지옥','쌍촌동','남');
Query OK, 1 row affected (0.00 sec)

mysql>
```

Terminal

```
1  〉 SELECT * FROM hospital;
```

```
mysql> SELECT * FROM hospital;
+--------+---------+-----+--------------+------------+------------+
| name   | address | sex | disease      | birth      | death      |
+--------+---------+-----+--------------+------------+------------+
| 정민용 | 내방동  | 남  | 위암         | 1986-09-10 | NULL       |
| 정민용 | 신림동  | 남  | 간암         | 1974-02-05 | 2009-05-22 |
| 정민용 | 청담동  | 남  | 췌장암       | 1967-06-01 | NULL       |
| 정민용 | 남정동  | 여  | 유방암       | 1962-08-03 | 2008-03-06 |
| 정민용 | 북성동  | 남  | 간암         | 1977-12-12 | 2009-02-15 |
| 정민용 | 이문동  | 여  | 자궁내막암   | 1981-04-30 | NULL       |
| 정민용 | 논현동  | 남  | 위암         | 1972-03-07 | NULL       |
| 정민용 | 덕산동  | 남  | 피부암       | 1955-07-02 | 2006-03-29 |
| 정민용 | 중앙동  | 남  | 대장암       | 1948-11-21 | NULL       |
| 정민용 | 황천동  | 남  | 폐암         | 1951-12-30 | 2009-07-12 |
| 금지옥 | 쌍촌동  | 남  | NULL         | NULL       | NULL       |
+--------+---------+-----+--------------+------------+------------+
11 rows in set (0.00 sec)

mysql>
```

'금지옥' 환자의 사망일자는 1995년 2월 9일이다. SET 옵션을 이용하여 데이터 값을 삽입한다.

Terminal

```
1  > UPDATE hospital
2  > SET death = '1995-02-09'
3  > WHERE name = '금지옥' AND address = '쌍촌동';
```

```
mysql> UPDATE hospital
    -> SET death = '1995-02-09'
    -> WHERE name = '금지옥' AND address = '쌍촌동';
Query OK, 1 row affected (0.00 sec)
Rows matched: 1  Changed: 1  Warnings: 0

mysql>
```

hospital 테이블의 데이터를 출력한다.

Terminal

```
1  > SELECT * FROM hospital;
```

```
mysql> SELECT * FROM hospital;
+--------+---------+-----+------------+------------+------------+
| name   | address | sex | disease    | birth      | death      |
+--------+---------+-----+------------+------------+------------+
| 정민용 | 내방동  | 남  | 위암       | 1986-09-10 | NULL       |
| 정민용 | 신림동  | 남  | 간암       | 1974-02-05 | 2009-05-22 |
| 정민용 | 청담동  | 남  | 췌장암     | 1967-06-01 | NULL       |
| 정민용 | 남정동  | 여  | 유방암     | 1962-08-03 | 2008-03-06 |
| 정민용 | 북성동  | 남  | 간암       | 1977-12-12 | 2009-02-15 |
| 정민용 | 이문동  | 여  | 자궁내막암 | 1981-04-30 | NULL       |
| 정민용 | 논현동  | 남  | 위암       | 1972-03-07 | NULL       |
| 정민용 | 덕산동  | 남  | 피부암     | 1955-07-02 | 2006-03-29 |
| 정민용 | 중앙동  | 남  | 대장암     | 1948-11-21 | NULL       |
| 정민용 | 황천동  | 남  | 폐암       | 1951-12-30 | 2009-07-12 |
| 금지옥 | 쌍촌동  | 남  | NULL       | NULL       | 1995-02-09 |
+--------+---------+-----+------------+------------+------------+
11 rows in set (0.00 sec)

mysql>
```

'금지옥' 환자의 간암 데이터를 'disease' 컬럼에 삽입한다. UPDATE 조건절에서 생년월일을 1954년 8월 19일로 지정한다.

Terminal

```
1 〉 UPDATE hospital
2 〉 SET disease = '간암', birth = '1954-08-19'
3 〉 WHERE name = '금지옥' AND address = '쌍촌동';
```

```
mysql> UPDATE hospital
    -> SET disease = '간암', birth = '1954-08-19'
    -> WHERE name = '금지옥' AND address = '쌍촌동';
Query OK, 1 row affected (0.00 sec)
Rows matched: 1  Changed: 1  Warnings: 0

mysql>
```

hospital 테이블을 출력한다.

Terminal

```
1 〉 SELECT * FROM hospital;
```

```
mysql> SELECT * FROM hospital;
+-------+--------+-----+----------+------------+------------+
| name  | address| sex | disease  | birth      | death      |
+-------+--------+-----+----------+------------+------------+
| 정민용 | 내방동  | 남  | 위암      | 1986-09-10 | NULL       |
| 정민용 | 신림동  | 남  | 간암      | 1974-02-05 | 2009-05-22 |
| 정민용 | 청담동  | 남  | 췌장암    | 1967-06-01 | NULL       |
| 정민용 | 남정동  | 여  | 유방암    | 1962-08-03 | 2008-03-06 |
| 정민용 | 북성동  | 남  | 간암      | 1977-12-12 | 2009-02-15 |
| 정민용 | 이문동  | 여  | 자궁내막암 | 1981-04-30 | NULL       |
| 정민용 | 논현동  | 남  | 위암      | 1972-03-07 | NULL       |
| 정민용 | 덕산동  | 남  | 피부암    | 1955-07-02 | 2006-03-29 |
| 정민용 | 중앙동  | 남  | 대장암    | 1948-11-21 | NULL       |
| 정민용 | 황천동  | 남  | 폐암      | 1951-12-30 | 2009-07-12 |
| 금지옥 | 쌍촌동  | 남  | 간암      | 1954-08-19 | 1995-02-09 |
+-------+--------+-----+----------+------------+------------+
11 rows in set (0.00 sec)

mysql>
```

DESCRIBE의 약자인 DESC 테이블명 명령을 실행시키면 테이블의 정보를 나타낸다. DESC hospital 명령을 실행시키면 아래의 결과를 나타낸다. Date 컬럼은 디폴트가 NULL 이므로 NULL 값이 허용된다.

Terminal

```
1  > DESC hospital;
```

```
mysql> DESC hospital;
+---------+-------------+------+-----+---------+-------+
| Field   | Type        | Null | Key | Default | Extra |
+---------+-------------+------+-----+---------+-------+
| name    | varchar(20) | YES  |     | NULL    |       |
| address | varchar(20) | YES  |     | NULL    |       |
| sex     | char(2)     | YES  |     | NULL    |       |
| disease | varchar(20) | YES  |     | NULL    |       |
| birth   | date        | YES  |     | NULL    |       |
| death   | date        | YES  |     | NULL    |       |
+---------+-------------+------+-----+---------+-------+
6 rows in set (0.00 sec)

mysql>
```

hospital 테이블에 '금지옥' 환자의 컬럼정보를 업데이트 한다.

Terminal

```
1  > UPDATE hospital
2  > SET disease = '간암', birth = '1954-08-19'
3  > WHERE name = '금지옥' AND address = '쌍촌동';
```

```
mysql> UPDATE hospital
    -> SET death = NULL
    -> WHERE name = '금지옥' AND disease = '쌍촌동';
Query OK, 0 rows affected (0.00 sec)
Rows matched: 0  Changed: 0  Warnings: 0

mysql>
```

hospital 테이블의 데이터를 출력한다.

Terminal

```
1  > SELECT * FROM hospital
```

```
mysql> SELECT * FROM hospital;
+--------+----------+-----+------------+------------+------------+
| name   | address  | sex | disease    | birth      | death      |
+--------+----------+-----+------------+------------+------------+
| 정민용 | 내방동   | 남  | 위암       | 1986-09-10 | NULL       |
| 정민용 | 신림동   | 남  | 간암       | 1974-02-05 | 2009-05-22 |
| 정민용 | 청담동   | 남  | 췌장암     | 1967-06-01 | NULL       |
| 정민용 | 남정동   | 여  | 유방암     | 1962-08-03 | 2008-03-06 |
| 정민용 | 북성동   | 남  | 간암       | 1977-12-12 | 2009-02-15 |
| 정민용 | 이문동   | 여  | 자궁내막암 | 1981-04-30 | NULL       |
| 정민용 | 논현동   | 남  | 위암       | 1972-03-07 | NULL       |
| 정민용 | 덕산동   | 남  | 피부암     | 1955-07-02 | 2006-03-29 |
| 정민용 | 중앙동   | 남  | 대장암     | 1948-11-21 | NULL       |
| 정민용 | 황천동   | 남  | 폐암       | 1951-12-30 | 2009-07-12 |
| 금지옥 | 쌍촌동   | 남  | 간암       | 1954-08-19 | NULL       |
+--------+----------+-----+------------+------------+------------+
11 rows in set (0.00 sec)

mysql>
```

12.3 기존의 테이블 컬럼 구조 변경

pet 테이블에 주식 별자 숫자 컬럼을 추가하여 테이블의 레코드 혼동을 피하자.

숫자 컬럼을 사용해서 일정하게 1씩 증가시킨다. AUTO_INCREMENT 속성은 새로운 회원이 추가가 될 때마다 MySQL서버는 자동적으로 1씩 증가시킨다. AUTO_INCREMENT를 기본 키의 속성으로 데이터베이스관련 작업을 보다 효율적으로 할 수 있다.

12.3.1 ALTER TABLE 명령의 기본 사용 방법

CREATE 테이블에서 다음과 같이 member_num 컬럼을 기본 키로 지정한다.

```
member_num INT UNSIGNED NOT NULL
AUTO_INCREMENT PRIMARY KEY;
```

ALTER TABLE 명령은 CREATE TABLE 명령의 사용법과 유사하다. 다음의 질의어는 ALTER TABLE 명령을 사용하여 새로운 컬럼을 추가하고, 그 컬럼을 AUTO_INCREMENT 타입으로 설정한 후에 기본 키로 지정한다.

```
ALTER TABLE pet
ADD member_num INT UNSIGNED NOT NULL
AUTO_INCREMENT PRIMARY KEY;
```

① 먼저, pet 테이블을 제거한다.

Terminal	
1	〉 DROP TABLE pet;

```
mysql> DROP TABLE pet;
Query OK, 0 rows affected (0.00 sec)

mysql>
```

② pet 테이블을 다시 호출한다.

Terminal

```
1    # ./mysql -u root -p pet < pet.sql
```

```
[root@localhost bin]# ./mysql -u root -p pet < pet.sql
Enter password:
[root@localhost bin]#
```

유저 : root, 테이터베이스명 : pet, MySQL 서버 전송 파일 : pet.sql

③ pet 데이터베이스의 테이블을 모두 출력한다.

Terminal

```
1    > SHOW TABLES;
```

```
mysql> SHOW TABLES;
+--------------+
| Tables_in_pet |
+--------------+
| pet          |
+--------------+
1 row in set (0.00 sec)

mysql>
```

④ pet 테이블을 생성한 후, pet 테이블에 데이터값을 삽입한다.
pet 테이블에 member_num 컬럼을 추가한다.

Terminal

```
1    > ALTER TABLE pet
2    > ADD member_num INT UNSIGNED NOT NULL
3    > AUTO_INCREMENT PRIMATY KEY;
```

```
mysql> ALTER TABLE pet
    -> ADD member_num INT UNSIGNED NOT NULL
    -> AUTO_INCREMENT PRIMARY KEY;
Query OK, 10 rows affected (0.01 sec)
Records: 10  Duplicates: 0  Warnings: 0

mysql>
```

⑤ pet 테이블의 컬럼 구조와 형식을 보여준다.

Terminal

```
1    〉DESC pet;
```

```
mysql> DESC pet;
+------------+------------------+------+-----+---------+----------------+
| Field      | Type             | Null | Key | Default | Extra          |
+------------+------------------+------+-----+---------+----------------+
| name       | varchar(20)      | YES  |     | NULL    |                |
| owner      | varchar(20)      | YES  |     | NULL    |                |
| species    | varchar(20)      | YES  |     | NULL    |                |
| sex        | char(1)          | YES  |     | NULL    |                |
| birth      | date             | YES  |     | NULL    |                |
| death      | date             | YES  |     | NULL    |                |
| member_num | int(10) unsigned | NO   | PRI | NULL    | auto_increment |
+------------+------------------+------+-----+---------+----------------+
7 rows in set (0.00 sec)

mysql>
```

⑥ pet 테이블의 모든 데이터를 출력한다.

Terminal

```
1    〉SELECT * FROM pet;
```

```
+----------+-----------+---------+-----+------------+------------+------------+
| name     | owner     | species | sex | birth      | death      | member_num |
+----------+-----------+---------+-----+------------+------------+------------+
| Puffball | Min-Yong  | hamster | m   | 2006-06-18 | NULL       |          1 |
| Banny    | Tae-Hee   | rabbit  | f   | 2007-02-11 | NULL       |          2 |
| Nero     | Dea-Seung | dog     | f   | 2005-12-30 | 2009-03-09 |          3 |
| JangGun  | Min-Yong  | dog     | m   | 2007-01-23 | NULL       |          4 |
| Pony     | Dea-Seung | bird    | m   | 2009-05-30 | NULL       |          5 |
| Ruru     | Min-Yong  | cat     | m   | 2008-05-05 | NULL       |          6 |
| Hade     | Dea-Seung | bird    | f   | 2005-03-08 | 2008-08-11 |          7 |
| Bobo     | So-Jung   | dog     | m   | 2008-04-15 | NULL       |          8 |
| Spark    | Tae-Hee   | cat     | f   | 2006-01-01 | 2009-08-27 |          9 |
| Kiki     | So-Jung   | cat     | f   | 2007-09-19 | NULL       |         10 |
+----------+-----------+---------+-----+------------+------------+------------+
```

member_num 컬럼이 테이블의 마지막 필드에 저장되어 있다. 웹 사이트에서는 응용 프로그램을 사용하여 member_num 컬럼의 데이터를 웹 브라우저에 나타낼 때에는 첫 번째 필드로 나타낼 수가 있지만, MySQL에서 첫 번째 필드로 나타내려면 2개의 수행 과정을 거쳐야만 한다.

12.3.2 ALTER TABLE의 컬럼 타입 변경

① name 컬럼의 뒤에 num_temp 컬럼을 INT(10)으로 지정한다.

Terminal

```
1    〉 ALTER TABLE pet ADD num_temp INT(10) AFTER name;
```

```
mysql> ALTER TABLE pet ADD num_temp INT(10) AFTER name;
Query OK, 10 rows affected (0.09 sec)
Records: 10  Duplicates: 0  Warnings: 0

mysql>
```

② num_temp 컬럼의 데이터값은 member_num값으로 업데이트한다.

Terminal

```
1    〉 UPDATE pet SET num_temp = member_num;
```

```
mysql> UPDATE pet SET num_temp = member_num;
Query OK, 10 rows affected (0.00 sec)
Rows matched: 10  Changed: 10  Warnings: 0

mysql>
```

③ pet 테이블의 member_num 컬럼을 제거한다.

Terminal

```
1    〉 ALTER TABLE pet DROP member_num;
```

```
mysql> ALTER TABLE pet DROP member_num;
Query OK, 10 rows affected (0.00 sec)
Records: 10  Duplicates: 0  Warnings: 0

mysql>
```

④ num_temp 컬럼의 AUTO_INCREMENT 속성(attribute)을 지정하고 PRIMAR Y

KEY로 지정한다.

Terminal

```
1  〉 ALTER TABLE pet CHANGE num_temp member_num
2  〉 INT UNSIGNED NOT NULL AUTO_INCREMENT PRIMARY KEY;
```

```
mysql> ALTER TABLE pet CHANGE num_temp member_num
    -> INT UNSIGNED NOT NULL AUTO_INCREMENT PRIMARY KEY;
Query OK, 10 rows affected (0.02 sec)
Records: 10  Duplicates: 0  Warnings: 0

mysql>
```

⑤ DESCRIBE의 줄임말인 DESC pet 명령은 테이블의 컬럼과 구조 형식을 보여준다.

Terminal

```
1  〉 DESC pet;
```

```
mysql> DESC pet;
+------------+------------------+------+-----+---------+----------------+
| Field      | Type             | Null | Key | Default | Extra          |
+------------+------------------+------+-----+---------+----------------+
| name       | varchar(20)      | YES  |     | NULL    |                |
| member_num | int(10) unsigned | NO   | PRI | NULL    | auto_increment |
| owner      | varchar(20)      | YES  |     | NULL    |                |
| species    | varchar(20)      | YES  |     | NULL    |                |
| sex        | char(1)          | YES  |     | NULL    |                |
| birth      | date             | YES  |     | NULL    |                |
| death      | date             | YES  |     | NULL    |                |
+------------+------------------+------+-----+---------+----------------+
7 rows in set (0.00 sec)

mysql>
```

⑥ member_num 컬럼이 name 컬럼 뒤로 지정이 되었다. pet 테이블의 데이터가 정확하게 컬럼에 저장되어 있는 지를 조사한다.

Terminal

```
1  〉 SELECT * FROM pet;
```

```
mysql> SELECT * FROM pet;
+----------+------------+-----------+---------+------+------------+------------
| name     | member_num | owner     | species | sex  | birth      | death
+----------+------------+-----------+---------+------+------------+------------
| Puffball |          1 | Min-Yong  | hamster | m    | 2006-06-18 | NULL
| Banny    |          2 | Tae-Hee   | rabbit  | f    | 2007-02-11 | NULL
| Nero     |          3 | Dea-Seung | dog     | f    | 2005-12-30 | 2009-03-09
| JangGun  |          4 | Min-Yong  | dog     | m    | 2007-01-23 | NULL
| Pony     |          5 | Dea-Seung | bird    | m    | 2009-05-30 | NULL
| Ruru     |          6 | Min-Yong  | cat     | m    | 2008-05-05 | NULL
| Hade     |          7 | Dea-Seung | bird    | f    | 2005-03-08 | 2008-08-11
| Bobo     |          8 | So-Jung   | dog     | m    | 2008-04-15 | NULL
| Spark    |          9 | Tae-Hee   | cat     | f    | 2006-01-01 | 2009-08-27
| Kiki     |         10 | So-Jung   | cat     | f    | 2007-09-19 | NULL
```

⑦ name_temp 컬럼을 VARCHAR(20)으로 지정하고 member_num 컬럼 뒤에 생성한다.

Terminal

```
1  > ALTER TABLE pet ADD name_temp VARCHAR(20)
2  > AFTER member_num;
```

```
mysql> ALTER TABLE pet ADD name_temp VARCHAR(20)
    -> AFTER member_num;
Query OK, 10 rows affected (0.01 sec)
Records: 10  Duplicates: 0  Warnings: 0

mysql>
```

⑧ name_temp 컬럼값은 name 컬럼의 각각의 데이터값으로 산입한다.

Terminal

```
1  > UPDATE pet SET name_temp = name;
```

```
mysql> UPDATE pet SET name_temp = name;
Query OK, 10 rows affected (0.00 sec)
Rows matched: 10  Changed: 10  Warnings: 0

mysql>
```

⑨ pet 테이블의 name 컬럼을 제거한다.

Terminal

```
1    〉ALTER TABLE pet DROP name;
```

```
mysql> ALTER TABLE pet DROP name;
Query OK, 10 rows affected (0.01 sec)
Records: 10  Duplicates: 0  Warnings: 0

mysql>
```

⑩ name_temp 컬럼명을 name 컬럼명으로 변경한다.

Terminal

```
1    〉ALTER TABLE pet CHANGE name_temp name CARCHAR(20);
```

```
mysql> ALTER TABLE pet CHANGE name_temp name VARCHAR(20);
Query OK, 10 rows affected (0.01 sec)
Records: 10  Duplicates: 0  Warnings: 0

mysql>
```

⑪ pet 테이블의 컬럼과 구조 형식을 보여 준다.

Terminal

```
1    〉DESC pet;
```

```
mysql> DESC pet;
+------------+------------------+------+-----+---------+----------------+
| Field      | Type             | Null | Key | Default | Extra          |
+------------+------------------+------+-----+---------+----------------+
| member_num | int(10) unsigned | NO   | PRI | NULL    | auto_increment |
| name       | varchar(20)      | YES  |     | NULL    |                |
| owner      | varchar(20)      | YES  |     | NULL    |                |
| species    | varchar(20)      | YES  |     | NULL    |                |
| sex        | char(1)          | YES  |     | NULL    |                |
| birth      | date             | YES  |     | NULL    |                |
| death      | date             | YES  |     | NULL    |                |
+------------+------------------+------+-----+---------+----------------+
7 rows in set (0.00 sec)

mysql>
```

⑫ pet 테이블의 데이터를 보여 준다.

Terminal

```
1   > SELECT * FROM pet;
```

```
+
| member_num | name     | owner     | species | sex | birth      | death
|
+------------+----------+-----------+---------+-----+------------+-----------
+
|          1 | Puffball | Min-Yong  | hamster | m   | 2006-06-18 | NULL
|
|          2 | Banny    | Tae-Hee   | rabbit  | f   | 2007-02-11 | NULL
|
|          3 | Nero     | Dea-Seung | dog     | f   | 2005-12-30 | 2009-03-09
|
|          4 | JangGun  | Min-Yong  | dog     | m   | 2007-01-23 | NULL
|          5 | Pony     | Dea-Seung | bird    |     | 2009-05-30 | NULL
|
|          6 | Ruru     | Min-Yong  | cat     | m   | 2008-05-05 | NULL
|
|          7 | Hade     | Dea-Seung | bird    | f   | 2005-03-08 | 2008-08-11
|
|          8 | Bobo     | So-Jung   | dog     | m   | 2008-04-15 | NULL
|
|          9 | Spark    | Tae-Hee   | cat     | f   | 2006-01-01 | 2009-08-27
|
|         10 | Kiki     | So-Jung   | cat     | f   | 2007-09-19 | NULL
```

지금까지, MySQL 데이블의 컬럼의 추가 또는 삭제에 대하여 알아보았으며, 주식별자로 사용하는 AUTO_INCREMENT의 속성을 정하고, PRIMARY KEY로 지정을 하는 것과 컬럼을 추가하는 방법에 관하여

연습문제 EXERCISES

아래와 같은 데이터베이스가 있다고 할 때, 지시되는 데로 데이터를 입력, 수정하시오.

테이블 생성

```
1   CREATE TABLE hospital(
2   name VARCHAR(20),
3   sex CHAR(1),
4   disease VARCHAR(20), // 병명
5   type VARCHAR(20),    // 입원 or 진료
6   birth DATE,          //생년월일 : 나이 산출 용도
7   f_date DATE);        // 입원일 or 첫 진료일
8
9
10
11  CREATE TABLE   patient(
12  code VARCHAR(20),    // 환자코드
13  name VARCHAR(20),
14  address VARCHAR(20),    // 우편물 발송 용도
15  disease VARCHAR(20);    // 병명
16
17
18
19  CREATE TABLE admission(
20  code VARCHAR(20),       // 환자코드
21  number VARCHAR(20),     // 입원 환자 병실
22  period DATE,            // 퇴원 예정일
23  price int(20),          // 입원비
24  category CHAR(10);      //  병명
25
26
```

12.1 patient 테이블에 consult(진료과) VARCHAR(20)를 추가해보시오.

12.2 patient 테이블에서 내과 진료를 받거나 입원한 환자를 출력하시오.

12.3 hospital 테이블과 patient 테이블를 대상으로 출력하시오. 입원환자들의 나이를 산출하여 환자명, 나이, 병명을 출력하시오.

12.4 퇴원 예정일 값이 '2009-12-20'인 환자의 이름을 출력하시오.

12.5 외과에 입원한 환자들의 이름을 출력하시오.

제3부 | 데이터베이스를 연결하는 자바프로그램 따라하기

1장. Project.

JDBC(Java Database Connectivity)는 자바 프로그램과 데이터베이스를 연결하는 프로그램 방식이다. 우리들이 JDBC를 활용하여 데이터베이스를 구축하려면 아래 두 가지 단계가 필요하다. 첫 번째 단계는 데이터베이스와 자바를 연결하는 것이고, 두 번째는 데이터베이스 관련 API 함수를 호출해야 한다.

우리가 작성할 프로그램은 다음과 같은 기능을 가진 『학생 성적 관리 프로그램』이다. 학생들의 성적을 효율적으로 관리하기 위해 만들 계획으로 공개 소프트웨어인 MySQL과 Java를 사용하여 제작하기로 한다.

『학생 성적 관리 프로그램』의 최종 결과 화면은 다음과 같다.

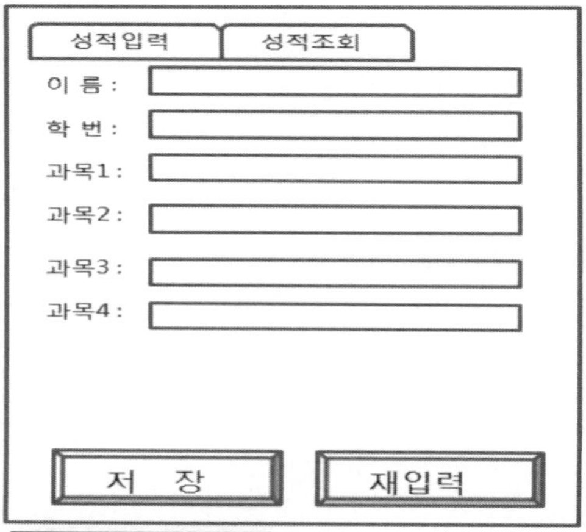

성적입력 | 성적조회
이 름 :
학 번 :
과목1 :
과목2 :
과목3 :
과목4 :
저 장 | 재입력

그림 1 최종결과화면(성적입력)

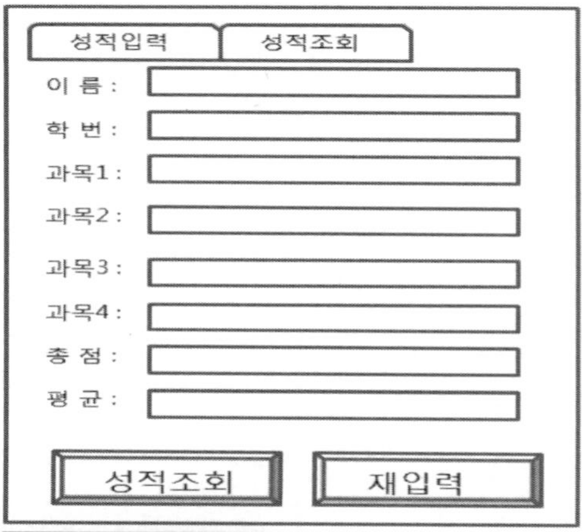

성적입력 | 성적조회
이 름 :
학 번 :
과목1 :
과목2 :
과목3 :
과목4 :
총 점 :
평 균 :
성적조회 | 재입력

그림 2 최종결과화면(성적조회)

프로젝트 진행은 3단계로 따라한다.
1단계 : JDBC 개발환경을 구성한다.
2단계 : 학생들의 성적을 입력하는 기능을 구현한다.
3단계 : 학생들의 성적을 조회하는 기능을 구현한다.

1단계. JDBC 개발환경을 구성한다.

JDK를 다운로드하려면 먼저 http://java.sun.com/에 접속해야 한다. 리눅스의

firefox를 이용하여 접속하면 [그림 3]의 화면이 나타나는데 여기서 download를 클릭하면 [그림 4]와 같은 화면이 나타난다. 여기서 popular Downloads의 java SE를 클릭하게되면 [그림 5]과 같이 버전별의 JDK 혹은 JRE등 여러 버전의 자바 목록이 나타날 것이다.

그림 3 sun 공식 홈페이지

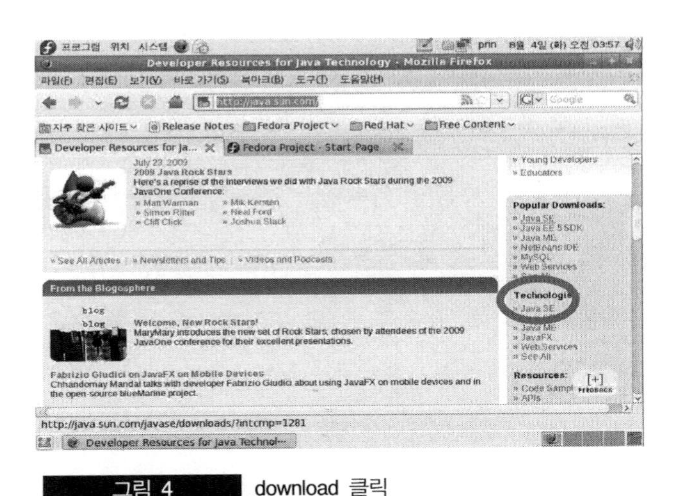

그림 4 download 클릭

여러 목록들 중 "JDK 6 Update 14" Download를 클릭하면 [그림 5]의 화면이 나타날 것이다.

여기서 우리는 윈도우 환경에서 자바를 사용할 것이므로 Platform 은 Windows를 선택해주고 continue를 선택하면 윈도우버전의 JDK 파일이 있고, 둘 다 똑같은 파일이므로 둘 중 하나를 다운로드해준다.

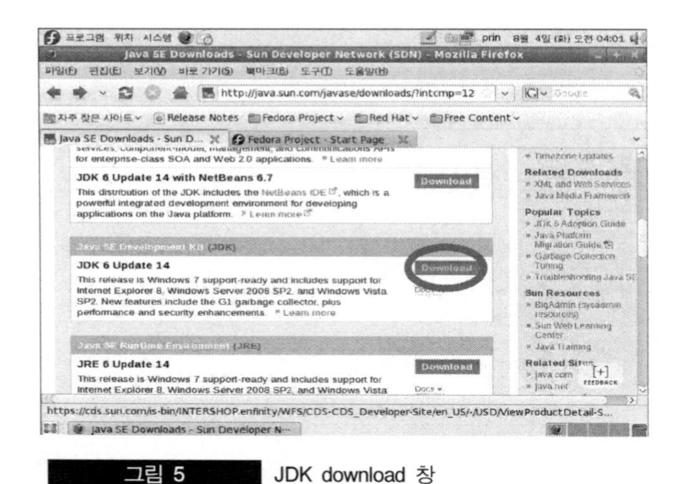

그림 5 JDK download 창

2단계 : 학생들의 성적을 입력하는 기능을 구현한다.

1.1 프로그램 분석

❑ 학생의 이름과 학번, 과목1, 과목2, 과목3, 과목4를 입력받아서 grade 데이터베이스에 저장한다. 저장하는 명령어는 "insert into"를 사용한다.

❑ 객체 정의 : 속성

JDBC관련 API를 임포트

JDBC URL과 커넥션 객체

JDBC 스테이트먼트 객체

필요한 컴포넌트 정의

❑ 객체 정의 : 동작

텍스트의 내용을 데이터베이스에 저장

텍스트의 내용을 초기화

1.2 중요한 메서드 설계

- ❑ public void actionPerformed(ActionEvent ae)
  텍스트에 데이터를 입력하고 저장하는 버튼의 동작을 제어하는 코드
- ❑ public InputPane(), public Score()
  각 클래스에 대한 생성자

1.3 프로그램 구현

프로그램 작성 : InsertPanel.java

```
1   import java.awt.*;
2   import java.awt.event.*;
3   import javax.swing.*;
4   import javax.swing.border.*;
5   import javax.swing.event.*;
6   //JDBC를 사용하기위해 java.sql 패키지를 import 한다.
7   import java.sql.*;
8   import javax.sql.*;
9   import java.util.*;
10
11
12  public class InputPane extends JPanel implements ActionListener {
13    //JDBC 관련 멤버
14    private String url = "jdbc:odbc:score";
15    private Connection con;
16    private Statement stmt;
17
18
19    //Swing 관련 멤버
20    private JPanel p[];
21    private JLabel l[];
22    private JTextField tf[];
```

```
23      private JButton okb;
24      private JButton rsb;
25
26      public InputPane() {
27        //스윙 컴포넌트들을 배치한다.
28        setLayout(new GridLayout(7,1));
29        EtchedBorder eb = new EtchedBorder();
30        setBorder(eb);
31
32
          p = new JPanel[7];
33        l = new JLabel[6];
          tf = new JTextField[6];
```

프로그램 작성 : InsertPanel.java

```
34        l[0] = new JLabel("이    름 : ");
35        l[1] = new JLabel("학    번 : ");
36        l[2] = new JLabel("과 목 1 : ");
37        l[3] = new JLabel("과 목 2 : ");
38        l[4] = new JLabel("과 목 3 : ");
39        l[5] = new JLabel("과 목 4 : ");
40
41
42    for(int i = 0; i<6 ; i++) {
43
44          tf[i] = new JTextField(15);
45          p[i] = new JPanel();
46          p[i].add(l[i]);
47          p[i].add(tf[i]);
48
49
50          add(p[i]);
51        }
52
```

```
53        p[6] = new JPanel();
54        okb = new JButton("저 장 ");
55        okb.addActionListener(this);
56        rsb = new JButton("재입력");
57        rsb.addActionListener(this);
58        p[6].add(okb);
59        p[6].add(rsb);
60        p[6].add(rsb);
61        add(p[6]);
62    }
63
64  public void actionPerformed(ActionEvent ae) {
65        String ae_type = ae.getActionCommand();

66        if(ae_type.equals(okb.getText())) {
            //저장하기 버튼이 클릭되었을 경우
            try {
```

프로그램 작성 : InsertPanel.java

```
67              //JDBC 드라이버를 등록한다.
68              Class.forName("com.mysql.jdbc.Driver");
69
70              //DriverManager로부터 커넥션을 얻어온다.
71              //My-SQL 서버 : local
72              //ID            : root
73              //PASSWORD     :
74  con=DriverManager.getConnection("jdbc:mysql://localhost/score?user=root&password=");
75
76
                //커넥션으로부터 실제로 SQL 쿼리를 실행시키기 위한 Statement 객체 얻기
77
78        stmt = con.createStatement();
79              //총점을 구한다.
80              int sum = Integer.parseInt(tf[2].getText())
81
```

```
82                                          + Integer.parseInt(tf[3].getText())
83                                          + Integer.parseInt(tf[4].getText())
84                                          + Integer.parseInt(tf[5].getText());
85          //평균을 구한다.
86          int avg = sum / 4;
87          //실행시킬 SQL 쿼리문을 작성한다.
88  //My-SQL에 한글이 바르게 입력되도록 하기위해 8859_1로 인코딩한다.
89  query = query +"'"+ new String(tf[0].getText().getBytes("KSC5601"),"8859_1") + "', ";
90  query = query +"'"+ tf[1].getText() + "', ";
91          query = query + tf[2].getText() + ", ";
92          query = query + tf[3].getText() + ", ";
93          query = query + tf[4].getText() + ", ";
94          query = query + tf[5].getText() + ", ";
95          query = query + sum + ", ";
96          query = query + avg + ")";
97
98
    //execute() 메서드를 사용해서 쿼리를 실행시킨다.
99          stmt.execute(query);
    //사용을 마친 Statement 객체는 바로 닫는다.
            stmt.close();
```

프로그램 작성 : InsertPanel.java

```
100 }catch(Exception e) {}
101     }
102     else if(ae_type.equals(rsb.getText())) {
103       //텍스트 필드를 초기화 한다.
104       for(int i = 0; i<6 ; i++) {
105         tf[i].setText("");
106       }
107     }
108   }
109 }
```

```
    }
```

InsertPanel.java 프로그램은 성적의 입력기능을 처리한다. Class 클래스의 forName()메서드를 호출하여 MySQL의 JDBC 드라이버를 등록한다. 13라인에서 현재 MySQl이 설치된 컴퓨터의 IP주소를 통해 grade라는 데이터베이스에 접속하기 위해서 url을 설정한다. 3306이라는 포트 번호도 설치시 조정할 수 있지만 기본적으로 설정되는 포트인 3306을 그대로 사용하였다. 14, 15라인에서는 쿼리 실행을 위한 객체를 생성한다. 이러한 객체를 실행 객체라고 하며 Statement 클래스의 객체는 실행할 때마다 쿼리를 넣어 주어야 한다.

Grade.java 프로그램은 탭을 구현하고자 Swing관련 JTabbedPane 객체를 생성하고 TabbedPane 객체인 tp에 성적 입력 Panel을 추가하여 새로운 탭을 만들고 프레임에 tp를 추가한다.

1.4 실행결과

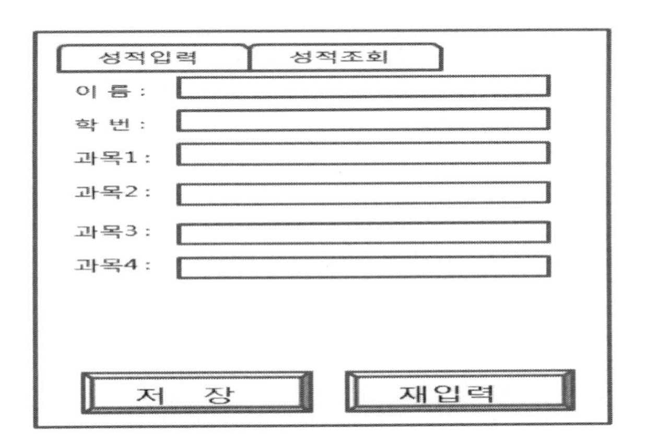

프로그램 작성 : Grade.java

```
1   import javax.swing.*;
2   import javax.swing.border.*;
3   import java.awt.*;
4
5
6   public class Score extends JFrame {
```

```
7       private JTabbedPane tp;
8       private InputPane ip;
9       private SearchPane sp;
10
11      public Score() {
12        //프레임에 추가될 컴포넌트 초기화
13        tp = new JTabbedPane();
14        ip = new InputPane();
15        sp = new SearchPane();
16
17        //탭 추가
18        tp.addTab("성적입력", ip);
19        tp.addTab("성적조회", sp);
20
21        //TabbedPane을 프레임에 추가
22        getContentPane().add(tp);
23        setTitle("학생 성적 관리(JDBC 버전)");
24      }
25
26      public static void main(String args[]) {
27        Score score = new Score();
28
29        Dimension d = new Dimension(250,350);
30        score.setSize(d);
31        score.setVisible(true);
32        score.show(true);
33      }
    }
```

3단계 : 학생들의 성적을 조회하는 기능을 구현한다.

2.1 프로그램 분석

- 성적 입력 기능을 사용하여 데이터베이스에 저장된 내용을 검색해 읽어오는 기능을 추가한다. 성적 조회 기능에는 "SELECT"문을 사용한다.
- 텍스트 필드의 내용과 일치하는 데이터를 데이터베이스로부터 읽어온다.
- 텍스트 필드의 내용을 초기화한다.

2.2 중요한 메서드 설계

- SearchPanel() 생성자로 초기화한다.
- actionPerformed(ActionEvent ae) "SELECT" 쿼리를 실행하여 데이터베이스로부터 데이터를 읽어온다.

2.3 프로그램 구현과 실행결과

SearchPanel.java 프로그램은 데이터베이스로부터 레코드를 얻어오기 위해 "SELECT" 쿼리문을 사용한다. "SELECT" 쿼리문에 대한 결과로 RecordSet객체를 가져온다. 가져온 RecordSet객체의 next() 메서드로 읽어온 레코드가 있는지 확인하는 문장을 삽입한다. 각 setString()과 getInt() 메서드로 각 필드의 값을 가져와서 텍스트 필드에 쓴다.

다음은 실행결과를 보여준다.

성적입력 | 성적조회

이 름 :

학 번 :

과목1 :

과목2 :

과목3 :

과목4 :

총 점 :

평 균 :

성적조회 | 재입력

프로그램 작성 : SearchPanel.java

```
1   import java.awt.*;
2   import java.awt.event.*;
3   import javax.swing.*;
4   import javax.swing.border.*;
5   import javax.swing.event.*;
6   import java.sql.*;
7   import javax.sql.*;
8   import java.util.*;
9
10
11  public class SearchPane extends JPanel implements ActionListener {
12    //JDBC 관련 멤버
13    private String url = "jdbc:odbc:score";
14    private Connection con;
15    private Statement stmt;
16
17
18    //Swing 관련 멤버
19    private JPanel p[];
20    private JLabel l[];
21    private JTextField tf[];
22    private JButton okb;
23    private JButton rsb;
24
25
26    public SearchPane() {
27      setLayout(new GridLayout(9,1));
28      EtchedBorder eb = new EtchedBorder();
29      setBorder(eb);
30
31      p = new JPanel[9];
32      l = new JLabel[8];
33      tf = new JTextField[8];
```

```
        l[0] = new JLabel("이    름 : ");
        l[1] = new JLabel("학    번 : ");
```

프로그램 작성 : SearchPanel.java

```
34          l[2] = new JLabel("과 목 1 : ");
35          l[3] = new JLabel("과 목 2 : ");
36          l[4] = new JLabel("과 목 3 : ");
37          l[5] = new JLabel("과 목 4 : ");
38          l[6] = new JLabel("총    점 : ");
39          l[7] = new JLabel("평    균 : ");
40
41          for(int i = 0; i<8 ; i++) {
42
43            tf[i] = new JTextField(15);
44            p[i] = new JPanel();
45            p[i].add(l[i]);
46            p[i].add(tf[i]);
47
48            add(p[i]);
49          }
50
51          tf[2].setEditable(false);
52          tf[3].setEditable(false);
53          tf[4].setEditable(false);
54          tf[5].setEditable(false);
55          tf[6].setEditable(false);
56          tf[7].setEditable(false);
57
58          p[8] = new JPanel();
59          okb = new JButton("성적조회");
60          okb.addActionListener(this);
61
62
63
```

```
64        rsb = new JButton("재입력");
65        rsb.addActionListener(this);
          p[8].add(okb);
66        p[8].add(rsb);
          add(p[8]);
      }
```

프로그램 작성 : SearchPanel.java

```
67    public void actionPerformed(ActionEvent ae) {
68        String ae_type = ae.getActionCommand();
69        if(ae_type.equals(okb.getText())) {
70          try {
71            Class.forName("com.mysql.jdbc.Driver");
72          con = DriverManager.getConnection("jdbc:mysql://localhost/score?user=root&password=");
73
74
75            stmt = con.createStatement();
76
77            //SELECT 쿼리를 작성한다.
78            String query = "SELECT * FROM score WHERE name=";
79            query = query +"'"+new String(tf[0].getText().getBytes("KSC5601"),"8859_1");
80            query = query +"' and snum='"+tf[1].getText()+"'";
81
82    //executeQuery() 메서드로 SELECT문의 실행시키고 결과로 ResultSet 객체를 받는
83    다.
84            ResultSet rs = stmt.executeQuery(query);
85
86    //레코드가 있는지 검사
87            if(rs.next()) {
88    //name, snum, con, kor, eng, math, sum, avg 필드를 차례로 읽어와 텍스트 필드에
89    쓴다.
90              tf[0].setText(new String(rs.getString("name").getBytes("8859_1"),"KSC5601"));
91
92              tf[1].setText(rs.getString("snum"));
```

```
93          tf[2].setText(""+rs.getInt("com"));
94          tf[3].setText(""+rs.getInt("kor"));
95          tf[4].setText(""+rs.getInt("eng"));
96          tf[5].setText(""+rs.getInt("math"));
97          tf[6].setText(""+rs.getInt("sum"));
98          tf[7].setText(""+rs.getInt("avg"));
          }
99        stmt.close();
          con.close();
```

프로그램 작성 : SearchPanel.java

```
100  }catch(Exception e) {e.printStackTrace();}
101      }
102      else if(ae_type.equals(rsb.getText())) {
103        for(int i = 0; i<8 ; i++) {
104          tf[i].setText("");
105        }
106      }
107    }
108  }
```

참고문헌

1. 데이터베이스 원리, 프로그래밍, 성능, 임해철외 2인 공저, 사이텍미디어.
2. 데이터베이스 시스템, 김형주 역, 인터비젼
3. 데이터베이스 시스템, 이석호 저, 정익사
4. 데이터베이스 시스템과 오라클, 이석호 저, 정익사
5. 전산실무에 사용하는 데이터베이스 MySQL 응용방안, 김정환 저, 홍릉과학출판사
6. MySQL MySQL의 사용, 관리, 프로그래밍을 위한 완벽가이드, 정준영 역, 사이텍미디어

MySQL 실습을 통한 **데이터베이스 이론 및 실습**

초판 1쇄 발행 2012년 03월 05일
초판 2쇄 발행 2018년 10월 31일
저 자 김태희, 주낙근, 김대식
발 행 인 이범만
발 행 처 **21세기사** (제406-00015호)
경기도 파주시 산남로 72-16 (10882)
Tel. 031-942-7861 Fax. 031-942-7864
E-mail : 21cbook@naver.com
Home-page : www.21cbook.co.kr
ISBN 978-89-8468-399-0

정가 12,000원